# FATAAL

Roger H. Schoemans

Davidsfonds/Infodok

Schoemans, Roger H.
Fataal

© 2007, Roger H. Schoemans en Davidsfonds Uitgeverij NV
Blijde-Inkomststraat 79-81, 3000 Leuven
Vormgeving cover: RoScan
Vormgeving binnenwerk: Peer De Maeyer
D/2007/2952/27
ISBN 978 90 5908 227 4
NUR 284
Trefwoorden: detective, verdwijning, (on)schuld

# I.
# Zaterdagmiddag
## DE SLUIS

De zak dobberde als een bolle, bleke paddestoel op het vuile water.

Hec sloot zijn vuist om een baksteenscherf. De scherpe randjes sneden in zijn huid. De snerpende pijn bluste de withete woede om wat zijn vader hem had toegeschreeuwd.

Oké, Hec gaf het toe, zijn rapport was slecht.

Oké, de directeur had gelijk dat hij een onmogelijke leerling was.

Oké, misschien zat er inderdaad niets anders op dan hem van school te sturen.

Oké, hij verdiende een straf omdat hij dat meisje pijn had gedaan.

Oké, hij had zijn vader met een stoute smoel aangekeken. Opstandig en uitdagend. Alsof het hem allemaal niet kon schelen.

Allemaal oké, maar moest zijn vader hem daarom onder een lading scheldwoorden en krachttermen bedelven?

'Luilak!' had hij hem in het gezicht geslingerd. 'Etter! Zak! Stuk ongeluk! Smeerlap!'

En nog veel meer. Veel erger ook.

Daarbij had zijn vader dreigend met zijn hand gezwaaid. Klaar om zijn zoon een oplawaai te verkopen.

Gelukkig was het niet zover gekomen. Niet omdat zijn

vader zich had ingehouden, wel omdat Hec de deur had opengerukt en met een krijsende, overslaande stem tegen zijn ouders had gegild.

'Ik ben het beu! Ik ben jullie beu! Ik wil jullie niet meer zien!'

'Durf het niet!' had zijn vader gebruld, maar Hec had het wél gedurfd.

Hij had de deur met een almachtige klap dichtgesmeten en was door de tuin naar het hekje gerend. Nog voor zijn vader buiten was, was hij al verdwenen, tussen de struiken langs het pad naar het kanaal.

'Hier!' had hij zijn vader horen roepen. 'Kom hier! Nu!'

Toen niets meer.

Nu stond Hec bij de drijvende vuilnisbelt aan de voet van de sluis en deed wat hij altijd deed wanneer hij zich rot voelde en ongelukkig en doodziek van de ellende die hij zichzelf op de hals had gehaald.

Met de scherf in zijn vuist koos hij een doelwit uit.

Een witte zak te midden van het wrakhout, de flessen, de blikjes en de eendenkrengen die de sluis had uitgespuwd.

Hij slingerde het projectiel naar de zak. Zo hard hij maar kon. Zo hard dat zijn schouder pijn deed.

Pijn hielp tegen razernij.

De steen trof doel. Het scherpe randje ritste het strakgespannen plastic open.

...

Een onzichtbare klauw kneep Hecs keel dicht.

Hij keek nog eens naar de zak.

Naar de hand die er uitstak.

Naar de wijsvinger die als een pijl zijn hart trof.

Hij voelde een verlammende steek in zijn borstkas en kokhalsde. Bitter braaksel vulde zijn mond.

# 2.

# Donderdagmiddag

## BIJ HEC THUIS

De buurvrouw stak haar knokige vinger als een geweerloop voor zich uit.

Hec hield zijn adem in, ook al wist hij dat ze hem en Vincent niet kon zien zolang ze maar bij het raam vandaan bleven.

Wie de jongens niet kende, kon hen voor broers houden. Hetzelfde donkere haar, wild in de war na hun fietsspurt van school naar huis. Hetzelfde bleke gezicht, met akelig vervelende puistjes. Groot voor hun leeftijd. Kleren zorgvuldig uitgezocht zodat het erop leek alsof ze recht uit een rommellade kwamen.

'Kijk!' beval Hec.

Naast de vrouw dook een andere persoon op.

De wijkagent.

Hec kende hem. Niet oud en niet jong. Een brompot en toch niet nurks. Een echte flik, maar niet van de kwaadste. Hij had aangebeld bij de buurvrouw. Geduldig gewacht. Beleefd geknikt toen de deur eindelijk openging.

Nu stond hij naast de vrouw in haar keuken en staarde in de richting die ze aanwees.

Hij had Hec al vaak vermaand omdat die weer eens kattenkwaad had uitgehaald. Het had steeds een beetje dreigend geklonken, maar aan het eind had hij toch steevast gebromd dat de straf niet té streng moest zijn, om de zaken niet nog erger te maken.

Nu staarde de flik door het raam in de keuken van de buurvrouw.

Hecs moeder noemde haar steevast 'die van nummer 18'. Geen naam, maar een cijfer. Ze deed het om haar misprijzen uit te drukken voor de buurvrouw. De nerveuze zuurpruim die altijd over iedereen mopperde, maar toch het meest over Hec.

Hec hield zijn ogen strak op Simones vinger gericht. Hij voelde zich zoals een filmcowboy, oog in oog met een Coltrevolver. Bang en bezorgd, maar tegelijk uitdagend en ijselijk kalm. Zeker nu, met Vincent, die nauwgezet in de gaten hield hoe zijn vriend reageerde op de dreiging.

'Hec heeft de schommel met opzet tegen haar hoofd gesmeten', snauwde Simone en haar mond hapte alsof ze de agent wilde bijten.

De politieman voelde zich niet lekker. De stem van de vrouw snerpte als een cirkelzaag. Het was heet en bedompt in de keuken. Savooilucht vulde zijn neusgaten.

Hij hield niet van kool.

'Mijn man is dol op savooi', dreinde Simone, alsof ze zijn gedachten had geraden. 'Gezonde boerenkost. Hij wil er altijd kaassaus en aardappelen met worst bij.'

'Ja, ja', deed de politieman terwijl de kooldamp een vettig gordijn op het glas vormde.

Hij zag de lege straat in de wasem vervagen. Nat asfalt. Een rij lindebomen tussen de rijweg en het voetpad. Voortuintjes met haagjes en hekjes.

Het speelpleintje van de Tulpenstraat lag schuin tegenover nummer 18 en recht voor nummer 16, waar Hec en zijn ouders woonden.

Een gele plastic glijbaan. Twee schommels. Een wip. Een klimrek met ladders, touwen en een gerafeld net. Een zandbakje. Een zitbank waar moeders hun kinderen in het oog konden houden.

Het pleintje was even leeg en troosteloos regentriest als de straat.

'Het gebeurde met de linkerschommel', legde Simone uit. 'Hij tilde het zitplankje op en toen het meisje voorbijliep, gooide hij het naar haar hoofd. Het heeft haar boven haar oog getroffen. Een centimeter lager en ze was blind geweest.'

'En wanneer is dat gebeurd?' vroeg de agent.

'Woensdagmiddag. Het moet rond drie uur geweest zijn. Dan drink ik altijd koffie in de keuken.'

'En het meisje was gewond?'

'Het kan niet anders! Na zo een slag!'

De agent zuchtte.

'We hebben geen enkele klacht ontvangen. Als ze er erg aan toe was... Als een kind met een buil of een snee thuiskomt, dan dienen de ouders toch klacht in, niet?'

'Ik weet wat ik gezien heb', gromde Simone.

Ze was boos omdat de agent aan haar woorden leek te twijfelen.

'Hoe zag het meisje eruit?' vroeg hij.

'Ze was kleiner dan Hec. Een jaar of negen, tien. Ze droeg een gele regenjas en een rode muts. Een gebreide muts met een bolletje erop.'

Kooknat uit de savooipot perste het deksel omhoog. Het siste op de hete plaat. Simone lette er niet op.

'In jouw plaats zou ik Hec aan de tand voelen', zei ze.

'Misschien later, wanneer zijn ouders thuis zijn. De jongen is nog maar dertien. Een kind.'

'Een kind? Bah!' deed Simone. 'Je moet niet zoveel eieren onder dat uitschot leggen. Hem stevig aanpakken, dat moet je.'

Ze verschoof de pan. Nog meer vocht spatte op de gloeiende plaat.

'Gaar', besloot ze.

Simone stak haar kin vooruit en plantte haar handen

in haar zij. Geen katje om zonder handschoenen aan te pakken.

'Wat hij gedáán heeft!' riep ze. 'Te veel om op te noemen. Een bal in mijn tuintje gestampt en al mijn bloemen vertrapt. Modder op mijn auto gegooid. Halsbrekende toeren uitgehaald op zijn fiets. De keren dat hij bijna overreden is... Ik rust geen seconde als ik weet dat hij buiten rondhangt. En zijn ouders laten hem maar begaan. Als hij mijn zoon was...'

'Wat zou je doen als hij je zoon was?' vroeg de agent.

'Hem een pak op zijn donder geven! Op internaat sturen. Het loopt verkeerd met hem af. Let op mijn woorden.'

'Is dat niet een beetje overdreven voor wat kwajongensstreken?'

'Je praat net als zijn moeder.'

Ze kneep haar lippen tot een dun streepje. 'Ik zal een rapport maken van ons gesprek', beloofde de agent. 'En ik zal ook met Hec en zijn ouders praten. Tevreden?'

'Altijd als ik de politie kan helpen', mopperde Simone.

# 3.
# Donderdagavond

## BIJ HEC THUIS

Met ingehouden adem bespiedden Hec en Vincent de politieman. Hij wandelde traag door het kleine tuintje waar
hun voetbal een paar weken geleden tussen de bloemen
was beland.

Toen Hec nog maar aanstalten had gemaakt om een voet
in het perkje te zetten, had Simone al naar hem geschreeuwd.
Ze zag hoogrood en trilde van woede. Speeksel spatte uit
haar mond. Hec was in paniek weggerend. Het spoor van
vernieling was nog wekenlang zichtbaar geweest.

Zijn moeder had hem twee middagen kamerarrest gegeven en hem verboden nog met Vincent op straat te voetbal-
len.

Van zijn vader had hij zich bij Simone moeten veront-
schuldigen en dat was een veel zwaardere straf geweest.

Welk onheil kwam nu op hem af?

De agent monsterde nadenkend Hecs huis, maar stapte
dan toch in zijn blauwe wagentje en verdween in de richting
van de hoofdweg.

Hec slaakte een diepe zucht.

Het was kwart over vijf. Over een kwartier zou zijn
moeder thuiskomen.

'Dat mens van hiernaast is een heks', fluisterde Vincent.

Hec haalde misprijzend zijn neus op en hield zich stoer, ook al had hij een duister vermoeden dat de buurvrouw had geklikt over het incident met het meisje. Had ze het ook over zijn toevallige bezoek aan de overbuur gehad? Of was er nog iets anders waarvan ze hem kon beschuldigen? Iets dat hij zich niet meteen herinnerde?

'Mijn moeder komt eraan', zei Hec. 'Je moet nu weggaan, anders zwaait er wat omdat ik je heb binnengelaten.'

'Tot morgen op school dan maar', antwoordde Vincent opgelucht.

Hij voelde dat Hec zich op een of andere manier in de nesten had gewerkt. En ook al was het zijn vriend, toch was hij er liever niet bij wanneer de bom barstte.

Een snelle blik op straat leerde hem dat de kust veilig was.

Hec benijdde hem. Kon ik ook maar vluchten, zuchtte hij.

# 4.
# Woensdagmiddag
## HET SPEELPLEINTJE

Zoals elke woensdag had Hec samen met zijn moeder geluncht. Toen ze weer naar haar werk vertrokken was, had hij een wiskundetaak afgehaspeld.

Wat moest hij nog doen? Hij had zijn agenda genomen en gezucht. Franse werkwoorden! Hij wist wel dat hij ze moest kennen, maar hij had geen zin om ze te leren.

Het boek leek een ton te wegen. Met een nog diepere zucht had hij het weer in de tas laten vallen.

Wat nu?

Zijn PlayStation lag in een gesloten kast. Zijn moeder had de sleutel meegenomen als straf voor een meer dan belabberd rapport.

Zijn tv kon hij niet aanzetten. De kabel met de speciale stekker lag ook in de kast. Straf omdat een leraar had geklaagd over slordig huiswerk.

Zijn fiets moest in het schuurtje blijven. Straf omdat hij bijna onder een auto was beland, hoewel zijn moeder hem verboden had in zijn vrije tijd nog op straat te rijden.

'Je moet leren om voorzichtig te zijn', had ze gezegd.

Vrienden bezoeken was dus ook uit den boze.

'Het zal je leren dat je op school moet werken en niet de aap moet uithangen', hadden zijn vader én zijn moeder gezegd.

Hec slenterde naar het speelpleintje. Doelloos rondlummelen, dat mocht hij nog wel.

De schommels waren op de maat van kleine kinderen. Geen lol aan.

De glijbaan? Belachelijk kort en helemaal niet hoog genoeg voor een jongen zoals hij.

De wip? Het klimrek?

Ook daar was hij te groot voor.

Hij tilde het plankje van een schommel zo hoog hij kon en zwierde het voor zich uit. Het schoot meters ver weg en keerde met een rotvaart terug. Met beide handen mepte hij het nog hoger in de lucht.

Toen stond het meisje daar. Hij had haar niet zien aankomen. Misschien was ze uit het 'paadje' opgedoken. Zo heette de kortste weg van het speelpleintje naar het centrum van de woonwijk. Een smalle gang, overwoekerd door onkruid.

'Hoi', zei ze.

'Hoi.'

Hec slingerde het plankje weer weg. Als hij wilde, kon hij het zo hoog laten vliegen dat de kettingen zich rond de stang slingerden. Straks zou hij het proberen. Misschien. Of toch weer niet. Hij zou wel zien.

'Wie ben jij?' vroeg Hec.

Ze droeg blauwe rubberlaarsjes, een glimmende gele regenjas en een rood, gebreid mutsje. Ze had blond haar.

'Sofie.'

'Waar woon je?'

Ze monsterde hem aandachtig Een slungelige jongen, een goed hoofd groter dan zij. Donker, warrig haar. Zware wenkbrauwen, dunne lippen. Roestbruin jack, grijze trui, versleten jeans, afgetrapte sportschoenen.

'Hoe heet jij?' vroeg ze.

'Hec. Ik woon daar, aan de overkant.'

Het meisje keek naar het huis dat hij aanwees.

'Ik woon ginds', zei ze, met een gebaar naar het paadje.

'Een paar weken nog maar. Mijn moeder zei dat er hier een speeltuin was.'

'Ja.'

'Er is niemand om mee te spelen.'

'Neen.'

'Als je me duwt, wil ik wel op de schommel.'

'Kun je het niet zelf?'

'Ja, maar het is leuker als iemand me duwt.'

'Ik heb er geen zin in', antwoordde Hec.

Hij smeet het plankje omhoog. Deze keer wel hard genoeg om het over de stang heen te slingeren, want hij wilde indruk maken op het meisje.

Ze zag het gevaar niet aankomen en hij had niet in de gaten dat ze zo dichtbij stond. Het hout trof haar voorhoofd met een harde, droge klap. Ze gilde en drukte beide handen tegen haar gezicht.

'Heb ik je pijn gedaan?' vroeg Hec, geschrokken en oprecht bezorgd.

'Stomme idioot!' gilde ze.

'Waar doet het pijn?'

'Au.'

Ze rende naar het paadje. Hec wist even niet wat te doen. Hulp vragen? Aan wie? Zag hij een schim bewegen achter het keukenvenster van nummer 18 of was het inbeelding?

'Wacht!' schreeuwde hij het meisje na. 'Kom terug! Ik kan je thuis verzorgen!'

Ze luisterde niet naar hem.

'Hé! Ik wil je helpen!'

Hec zette de achtervolging in. Het paadje was een paar honderd meter lang. Een donkere tunnel onder verwilderde, druipende hagen. Het stonk er naar natte aarde, rotte bladeren en hondenpoep.

Het meisje rende zo hard dat hij haar niet meer kon inhalen. Nog even zag hij haar gele jasje en rode muts tussen het groen, toen was ze verdwenen.

Hij zocht haar op het centrumplein, het hart van de wijk.

Allemaal eendere woningen in rode baksteen met allemaal dezelfde witte raamkozijnen en bruine deuren. Het was er even doods, saai en leeg als in zijn eigen straat.

Het meisje viel nergens te bespeuren.

# 5.
# Woensdagmiddag
## DE TUIN VAN MENEERTJE FRANSEN

Hec keerde op zijn stappen terug. Zo erg kon het met Sofie niet gesteld zijn, stelde hij zichzelf gerust, anders had ze niet zo hard kunnen hollen.

Op de plek waar ze uit het gezicht verdwenen was, hield hij even stil. Een afhangende tak van een verwilderde vlierboom hing laag over het pad. Dikke druppels plensden in een plas.

Hij duwde tegen het wrakkige hout van een deur onder de vlier. Een verwaarloosde tuin met verwilderde bessenstruiken, een met onkruid overwoekerd gazon, een zandbak, her en der slordig achtergelaten spullen.

Het huis zag er griezelig en onbewoond uit.

Traag stapte Hec verder. Uit verveling inspecteerde hij alle deuren en hekjes. Waar geen slot hem tegenhield, stak hij zijn hoofd naar binnen. Alle tuinen leken op elkaar. Groentebedden. Grasveldjes. Bloemperkjes. Soms een terras, al dan niet met speeltuig of een plastic zandbak. Hokken en schuurtjes, het ene al rommeliger dan het andere. Geen mens te bekennen. Zelfs geen hond. Alle leven in de buurt leek uitgestorven.

Achter de laatste deur voor het speelplein lag de tuin van de overbuur die hij alleen maar kende als 'meneertje Fransen'.

Geen haag in de steeg zag er netter uit. Netjes geschoren taxus, twee meter hoog, ondoordringbaar.

De deur was van metaal, loodzwaar en oersterk. Donkergroen geschilderd, geen streepje roest te bekennen. Een lichte druk op de klink volstond om haar vlot en geluidloos open te laten zwaaien.

De tuin was even afgeborsteld als zijn eigenaar. Een twintigtal fruitboompjes in twee kaarsrechte rijen, alle takken in perfecte orde aan ijzerdraden gebonden. Glad, gemillimeterd gras. Geen sprietje viel uit de toon.

Het gazon eindigde tegen een glazen wand waarlangs licht en zon de woning konden binnendringen. Natuurlijk waren de schuiframen gesloten.

Hec wilde weer weggaan toen hij een opvallend geluid hoorde. Het kwam van de eerste verdieping, waar een raam op een kier stond. Hij spitste zijn oren.

Was dat het gilletje van een miniatuurstoomfluit?

Hec sloop dichterbij, verscholen achter de fruitboompjes. Het gepuf werd luider. Het fluitje piepte schril. Miniatuurwieltjes ratelden met een rotvaart over de sporen.

Hec kon zijn lach haast niet bedwingen. Het oerdeftige meneertje Fransen speelde met treintjes!

Het meneertje dat elke ochtend stipt om vijf over half-acht buitenkwam. Bij goed weer in een grijs pak met wit hemd en een donkere das. In de winter met een blauwe overjas. Met een zwarte paraplu als het regende. En altijd met een bruine, leren boekentas die er eeuwig fonkelnieuw uitzag.

Elke avond keerde hij stipt om zes uur terug. Hij verdween in zijn huis en kwam niet meer buiten tenzij eenmaal per week om een vuilniszak op de stoep te zetten. Hij wisselde haast nooit een woord met zijn buren. Een korte hoofdknik en een flauw glimlachje, meer kreeg niemand van hem.

'Een echte ambtenaar', oordeelde Hecs moeder. 'Een saaie piet.'

'Er wordt gezegd dat hij een belangrijke baan heeft op

het ministerie', had zijn vader gezegd.

'Ik vertrouw die vent niet', had zijn moeder meermaals herhaald. 'Een man zonder vrouw. Een eenzaat die nooit buitenkomt... Het is echt niet normaal.'

Hec grinnikte. Hij had een groot geheim ontdekt. Wanneer hij het onthulde, zou hij niet alleen zijn ouders, maar iedereen in de buurt met verstomming slaan!

'Wat zoek je?' vroeg een stem.

Hec dook weg achter een appelboompje.

'Ik heb je wel gezien, hoor', zei de stem.

Het klonk niet onvriendelijk. Hec kwam aarzelend tevoorschijn.

Meneertje Fransen leunde met beide handen op de vensterbank van de eerste verdieping. Hij droeg een wit hemd met lange mouwen. Geen das. Om zijn mond speelde een glimlachje.

'Wat zoek je?' herhaalde hij.

'Ik... Eh... Ik weet niet...' stamelde Hec.

'De appels zijn nog niet rijp. Je krijgt buikpijn als je ervan eet.'

'Neen... Ik...'

Hec bloosde. Hij schaamde zich omdat hij zich had laten betrappen.

'Je mag niet zomaar in andermans tuin komen', zei meneertje Fransen.

'Neen... Meneer... Neen... Eh... Ik hoorde, eh...'

Meneertje Fransen lachte.

'Je hebt het treintje gehoord?' vroeg hij.

Hec vermande zich.

'Ja, meneer. Ik hoorde de stoomfluit en ik was nieuwsgierig.'

'Heb je ook een trein?'

'Neen, meneer. Ik heb er een gehad, maar hij is kapot.'

De man trok een gezicht alsof hij het heel erg vond.

'Dat gebeurt, jongen, dat gebeurt. Jammer.'

'Nu moet ik gaan', zei Hec. 'Mijn moeder...'

'Je woont aan de overkant, is het niet?'

'Ja, meneer.'

'Ik dacht wel dat ik je herkende. Ik heb je al op de fiets zien stunten.'

'Ik moet gaan', herhaalde Hec. 'Mijn moeder komt zo naar huis en als ik er niet ben, zwaait er wat.'

'Goed.'

Hec liep naar de groene deur. Meneertje Fransen kuchte. De jongen keek om.

'Als je zin hebt...' Hij zweeg plots alsof hij zich bedacht had, maar dan hernam hij toch weer. 'Als je zin hebt, mag je mijn installatie bekijken. Ik heb nu geen tijd, maar op zaterdag ben ik wel de hele dag thuis. Bel maar aan als je zin hebt.'

'Ja, meneer.'

Hec sloot de tuindeur met een zachte klik. Hij wilde het speelpleintje oversteken, toen hij Simone van nummer 18 aan de overkant van de straat ontdekte. Ze deed alsof ze hem niet gezien had, maar ze draaide iets te opvallend haar hoofd weg. Hec rende helemaal naar het centrumplein om vandaar met een grote omweg naar huis terug te keren. Simone kreeg hij niet meer te zien.

# 6.
## Donderdagavond
### BIJ HEC THUIS

Waarom had de flik zo naar zijn huis gestaard? Hec kreeg geen tijd om er lang over te piekeren, want buiten knarste het grind op het paadje naar de garage. Een autoportier klapte toe. Zijn moeder was thuis.

'Hec!'

Het klonk als een zweepslag. Hec daalde met knikkende knieën de trap af. Ze had haar muts en jas aan de kapstok gehangen en schudde met haar hoofd om weer vorm in haar kapsel te brengen.

'Heb je al gehoord wat er op het centrumplein gebeurd is?' vroeg ze.

'Hoe... Ik... Wat? Neen... Ik ben recht naar huis gekomen', zei hij. 'Ik ben de hele tijd boven geweest. Op mijn kamer.'

'Toch niet om te studeren?' spotte ze. 'Dat zou de eerste keer zijn!'

Hec schokte met zijn schouders. Ze besteedde er geen aandacht aan.

'Het plein zag zwart van de politie', zei ze. 'Ik vond bijna geen plaats om te parkeren bij de bakker. Het schijnt dat er een kind verdwenen is.'

'Een kind?' vroeg Hec. 'Uit onze buurt? Iemand die we kennen?'

'Een meisje. Meer wisten de buren niet. Misschien is

ze wel vermoord. Dat zei Gerda van de bakker. Ze had een politieman meer uitleg gevraagd, maar die wilde niets vertellen omdat het onderzoek nog aan de gang is.'

Ineens begon haar lip te trillen. Ze greep Hecs schouders met beide handen vast en trok de jongen tegen zich aan.

'Ik mag er niet aan denken dat jou zoiets vreselijks zou overkomen', zei ze.

Hij hoorde aan haar schorre stem dat ze tegen de tranen vocht.

Hec vond het vervelend. Waarom moest zijn moeder toch altijd zo emotioneel reageren?

- 'Waarom zou iemand mij willen vermoorden?' vroeg hij stoer.

'Gekken hebben geen reden nodig om een kind van kant te maken.'

'Ik zou hem een mep verkopen en tegen de grond slaan.'

'Dan moet je nog wat spek eten.'

'Of ik zou heel hard wegrennen.'

Hij grinnikte luid, alsof hij het idee dat hij moest vluchten voor een moordenaar een prima grap vond.

'Een moord is niet om mee te lachen', zei zijn moeder. 'Arm kind...'

Arm kind?

Een donker vermoeden bezorgde Hec kippenvel. De grijns verdween van zijn gezicht. Was Sofie het arme kind waar zijn moeder medelijden mee had? Sofie, die na die fatale klap als het ware voor zijn ogen verdwenen was?

Een fractie van een seconde overwoog hij zijn moeder alles te vertellen. Maar dan bedacht hij dat hij daardoor zou bekennen dat hij ondanks alle verboden het huis verlaten had.

Hij zweeg en slofte naar zijn kamer. Sofie was niet echt verdwenen, maakte hij zichzelf wijs. Ze had alleen maar harder gerend dan hij. Daarom had hij haar uit het oog verloren en dat was iets totaal anders dan 'verdwijnen'.

# 7.
# Vrijdagochtend
## DE WEG NAAR SCHOOL

'Hé!'

Hec maakte een wanhopige slingerbeweging om een oude, gele Opel te ontwijken. Achter het stuur zat Marino, de slungel die op nummer 13 woonde. De auto stopte met een schok en prompt viel de motor stil.

'Smeerlap!' schreeuwde Hec.

Marino claxonneerde lang en hard. Hec stak zonder om te kijken een middelvinger op. Hij stampte op de trappers en maakte zich uit de voeten.

Op het kruispunt bij de school schoven tientallen ongeduldige automobilisten aan. Vrouwen en mannen op weg naar hun werk, ouders die hun kinderen voor de schoolpoort wilden droppen. Ze leken allemaal nerveus en grimmig omdat er zoveel verkeer was en omdat het stoplicht eeuwig rood leek te blijven.

Hec gooide zich tussen twee stilstaande auto's door en flitste via het lege linkerrijvak de file voorbij. Het licht sprong op groen. Hij dook naar rechts, voor de eerste auto aan de overkant van het kruispunt zich op gang kon trekken. Nu nog een gaatje vinden om links de drukke Schoolstraat in te rijden en dan...

Hij zag een opening tussen traag aanschuivende wagens. Met doodsverachting wilde hij zich in het gat storten, toen een auto als een roofdier vooruitsprong en hem de weg versperde. Het gele voertuig van Marino kwam met piepende remmen tot stilstand.

'Onnozel mannetje!' brulde de jongeman.

Hec kneep zijn remmen dicht. Zijn achterwiel schoof weg op de gladde klinkers.

De rotzak. In Hecs straat had niemand een goed woord over voor Marino. Hij was een brutale slungel van vooraan in de twintig. Een lawaaimaker die de buurt terroriseerde met loeiharde discomuziek en motorgebrul telkens als hij wéér een ander wrak rijklaar maakte.

Marino had haast elke maand een andere auto nodig, omdat hij om de haverklap in de sloot belandde, tegen een paal botste of langs een boom schampte.

Hec staarde naar de uitdagende grijns op het gezicht van de jongeman. Het geclaxonneer in de file hoorde hij amper. Terwijl de razernij in hem opwelde, had hij alleen nog oog voor de gele auto.

Met volle kracht schopte hij tegen de zijkant van de Opel. Het dunne plaatstaal boog als keukenfolie. De knal zinderde door de straat.

Marino vloekte en maakte aanstalten om uit te stappen. Hec spurtte naar de schoolpoort. Zonder te remmen verdween hij in de stalling, waar hij zijn fiets tegen de muur liet vallen. Hij rende het schoolplein over om zich in de menigte te verbergen voor het geval Marino hem gevolgd was. Pas in de klas durfde hij opgelucht adem te halen.

'Wat heb je?' vroeg Vincent.

Hec gniffelde terwijl hij vertelde hoe hij de auto toegetakeld had. Vincent kon er niet om lachen.

'Pas maar op. Hij slaat je tot moes als hij je te pakken krijgt.'

'Bah! Ik kijk wel uit.'

# 8.
# Vrijdagmiddag
## DE DIRECTEUR

Na de middagpauze hield de roodharige van het secretariaat de rij leerlingen tegen. Ze fluisterde iets in het oor van de leraar. Hij gebaarde naar Hec.

'Ga met mevrouw mee. De directeur wil je spreken.'

'Waarom?'

'Dat zul je wel horen. Vooruit.'

Hec schopte zijn rugzak als een voddenbaal onder het afdak.

'En houd je een beetje kalm!' riep de leraar.

De vrouw liep zwijgend voor hem uit. Hec staarde naar haar knieholten onder de dansende rokzoom.

'Wacht hier', beval ze en ze verdween zonder aan te bellen in het kantoor van de directeur.

Hec keek om zich heen. Een lange gang met hoge zoldering. Veel donker, glanzend gelakt hout. Gedempt licht. Hier en daar een houten zitbank. Geuren van boenwas en schoonmaakmiddel.

Op de deur een koperen plaatje: DIRECTEUR. Links tegen de muur een wit rechthoekje met een belknop. De heldere, plastic vlek vloekte met de sombere, deftige omgeving. Hec vroeg zich af wat er zou gebeuren als hij nu op het knopje drukte, maar voor de bekoring te groot werd, kwam de vrouw zeggen dat hij binnen mocht.

De directeur zat half verscholen achter een muur van mappen, boeken en papieren. Bij het grote vensterraam met uitzicht op het schoolplein stond Jan Derksen, jaarcoördinator en leraar Frans. De mannen keken allebei even ernstig.

'Zo! Hec!' zei de directeur.

Hec staarde naar de vloer, een kamerbreed dambord van zwarte en witte plavuizen.

'Wel?' vroeg Derksen.

'Goedemiddag, meneer', fluisterde Hec.

'Goedemiddag', antwoordde de directeur. 'Althans, ik hoop dat het voor jou een goede middag blijft. Je hebt problemen, Hec. Besef je dat?'

Hec bestudeerde zijn schoenen.

'Je leraars zijn niet tevreden over je', ging de directeur verder. 'Meneer Derksen heeft me vanmorgen een lijstje bezorgd van alles wat je dit jaar al mispeuterd hebt. Wil je dat ik het voorlees?'

Hec keek even schichtig naar de leraar en concentreerde zich toen weer op de vloer.

'Kijk', zei de directeur.

Hij zwaaide met een blad papier. Hec keek op. 'Huiswerk niet gemaakt. Eén, twee, drie, viermaal. Huiswerk zo slordig dat het niet één punt waard is. Lessen niet voorbereid. Vijfmaal te laat gekomen zonder reden. Het laatste lesuur gespijbeld. Gevochten. Nog eens gevochten. In de klas een appel naar een medeleerling gegooid.'

Hec luisterde schijnbaar onbewogen. Door zijn hoofd flitsten de antwoorden die hij nooit zou durven uit te spreken.

*Ik had mijn huiswerk wel willen maken, maar telkens als ik het schrift opendeed, was het alsof ik verlamd raakte.*

*Ik wilde helemaal niet slordig zijn, maar ik kon mijn aandacht niet bij mijn werk houden.*

*Toen ik de lessen probeerde voor te bereiden, verveelde ik me zo dat ik het maar opgegeven heb.*

*Vraag me niet waarom.*

*Het is gewoon zo.*

*En ja, ik was te laat, maar dat was omdat ik onderweg ineens geen zin meer had en omdat ik mezelf moest dwingen naar school te fietsen.*

*Oké. Ja. Ik heb gevochten, maar alleen omdat ik uitgedaagd werd.*

*De ene keer was het de schuld van Céline. Ze had met een vinger onder haar neus gewreven om de meisjes te laten lachen met de donshaartjes op mijn bovenlip.*

*En de andere keer had Björn aan iedereen in het zwembad gezegd dat ik een kleine piemel had en toen hebben de jongens én de meisjes me uitgelachen.*

*Moest ik die onnozelaars hun gang laten gaan?*

*Dat van die appel, dat is niet waar. Ik heb die appel niet als eerste gegooid. Ik heb hem teruggesmeten naar Marco. Hij was begonnen en niet ik, maar de leraar heeft dat niet gezien.*

De directeur rukte hem uit zijn droom.

Moet ik nog meer voorlezen?' vroeg hij.

'Neen, meneer.'

'Nog één punt', gromde de directeur. 'Je hebt met opzet een auto beschadigd.'

Nu protesteerde Hec wel hardop.

'Het was de schuld van Marino!' riep hij. 'Hij wilde me omverrijden!'

'Ik heb een getuige!' reageerde de directeur fel.

'Die heeft niet goed gekeken!' snauwde Hec terug. 'Marino heeft met opzet gas gegeven om me de weg te versperren.'

'Je hebt een deuk in zijn auto gestampt', kwam Derksen tussenbeide.

'Omdat hij een maniak is! Hij heeft me vanmorgen twéé keer net niet omvergereden! Twéé keer na elkaar!'

'Ik heb je zomaar tegen de auto zien schoppen', zei Derksen. 'Je stampte zo hard dat de knal meters ver te horen was.'

'Niet waar.'

'Stop!' deed de directeur. 'Geen discussie. Een andere leerkracht heeft het ook zien gebeuren. Hij stond aan de overkant van de straat.'

'Dan is hij een dikke leugenaar. Of hij had stront in zijn ogen.'

'Let op je taal!' vermaande Derksen.

'Marino is een gek', verdedigde Hec zich. 'Dat weet iedereen. Hij rijdt als een gek en hij knalt voortdurend tegen iets aan. En het was mijn schuld niet.'

'En jij rijdt ook als een gek', mopperde Derksen. 'Ik heb je al tweemaal door het rood zien fietsen.'

Hec haalde zijn schouders op. In zijn hoofd had hij een antwoord klaar, maar hij sprak het niet uit. Wat voor zin had het? Hoe moest hij dingen uitleggen waar hij zelf geen verklaring voor had?

'Je bent een intelligente jongen', zei de directeur. 'Iedereen is het daarover eens. Misschien ben je wel de verstandigste leerling in je groep. Alleen gebruik je dat verstand niet. Je weigert te werken. Je weigert je in te zetten in de klas. Je hangt de hooligan uit. Je brengt jezelf en andere mensen in gevaar. Ondanks herhaalde vermaningen weiger je halsstarrig je behoorlijk te gedragen. Besef je dan niet hoe onverantwoord je gedrag is?'

Hec haalde weer zijn schouders op. Wat moest hij daarop antwoorden? Wat wilde de directeur horen? Dat hij inderdaad hij een slome, luie hond was en een relschopper?

'Voor het helemaal de verkeerde kant uitgaat, ga jij twee dingen doen, Hec', zei de directeur.

Hec staarde langs Derksen heen naar het lege schoolplein. De stem van de directeur klonk als dof gebrom op de achtergrond.

'Ten eerste. Je houdt onmiddellijk op met de idioot uit te hangen. Ten tweede. Je bespreekt met mevrouw Binette van Leerlingenbegeleiding hoe je een einde kunt maken aan je wangedrag. Meneer Derksen regelt een afspraak voor je.'

Het leek alsof de directeur niet vlak voor hem zat, maar zich achter dikke gordijnen verschool.

'Voor je ouders zal ik in je agenda schrijven dat we je gedrag niet langer kunnen aanvaarden. Dat je snel je leven moet beteren of je loopt gevaar van school verwijderd te worden. Je laat het door hen ondertekenen en maandag zal meneer Derksen het controleren. Duidelijk?'

Hec staarde recht in de ogen van zijn directeur. Intussen vocht hij tegen de woede die hem dreigde te overmeesteren. De directeur staarde ijskoud terug. Hec voelde dat hij de slag niet kon winnen en richtte zijn blik weer op zijn schoenen.

'Nu mag je terug naar de klas.'

Hec draaide zich met een ruk om, stapte het lokaal uit en gooide de deur met een knal dicht.

'Val dood!' siste hij, maar niet zo luid dat de directeur en de leraar het hadden kunnen horen, noch de roodharige van het secretariaat die hem door het venstertje van het loket in de gaten hield.

Hec stak zijn tong naar haar uit. Ze reageerde niet. Ze zag elke dag wel boze leerlingen uit het bureau van haar baas komen. Als ze zich beter voelden door hun tong naar haar uit te steken of een scheve smoel te trekken, dan moest dat maar. Ze was zelf ook jong geweest en had ervaring zat met schrobberingen door directeuren en leraars.

Hec hield halt op de trap naar de eerste verdieping. Een korte pauze om zijn woede te laten bedaren.

Van alles zat het gedoe met Marino hem het hoogst. De rotzak had hem ijskoud van de weg willen rijden! En nu deed die ellendige directeur alsof hij niets had mogen terugdoen.

Het was onrechtvaardig.

On-recht-vaardig!

Ze moesten vooral niet denken dat hij het niet nog eens zou doen als... Als...

Verdorie. Eigenlijk had hij wel goed gemikt. Eén trap en er zat een deuk van een halve meter in het portier! De smeerlap had zijn lesje gehad. En hij had het begrepen, want hij had Hec niet durven te volgen en hij was ook niet bij de directie komen klagen.

En thuis? Wat zou er thuis gebeuren als Marino bij zijn moeder of zijn vader kwam klagen? Hec moest nog harder lachen bij de gedachte. Marino zou verdorie zelf een pak op zijn donder krijgen. De lul! De wegpiraat! Ruziestoker! Cafévechter!

Marino met zijn opgefokte auto's! Bah! Wrakken die drie, vier, vijf vorige eigenaars hadden gehad. Hij lapte ze met plastic en prullen op om indruk te maken op meisjes die nog niet doorhadden wat voor een loser hij was.

En nu wilden de directeur en Derksen hém aanklagen omdat hij zich tegen dat uitschot had verdedigd? Ze konden allebei het schurft krijgen, foeterde Hec. Zij én die trut van de Leerlingenbegeleiding. Hij zou hen wel laten voelen wat hij ervan dacht dat ze hem ten onrechte beschuldigden!

Hec drentelde naar de klas.

De leerlingen staarden hem schaapachtig aan toen hij de klas binnenkwam. Hec zette een stoer gezicht op en schokte met zijn schouders om duidelijk te maken dat wat er gebeurd was zijn koude kleren niet raakte.

# 9.
# Vrijdagmiddag
## OP WEG NAAR HUIS

Halverwege het laatste lesuur klapte de lerares haar boek dicht.

'We gaan met zijn allen naar de grote eetzaal voor een belangrijke mededeling', kondigde ze plechtig aan.

De zaal zat afgeladen vol. Het lawaai was oorverdovend. De kakofonie van schurende tafel- en stoelpoten overstemde zelfs de orkaan van snerpende kinderstemmen. Toen de directeur op het kleine podium plaatsnam, werd het in één klap stil. Niet voor hem, maar voor de persoon die naast hem kwam staan. Een jonge politieagente in strak uniform. Ze droeg een honkbalpet waaruit een paardenstaart stak.

'Er is in de stad een kind verdwenen', begon ze zonder omwegen. 'Een meisje van negen jaar. Ze heet Sofie. Het is mogelijk dat ze ontvoerd is. Straks zullen jullie een foto van haar krijgen. Laat die aan je ouders zien. Wie iets over het meisje weet, kan bellen naar de politie. Het nummer staat bij de foto.'

Nerveus geroezemoes in de zaal.

Hec voelde ijs in zijn aderen.

'Er is geen reden om bang te zijn', zei de agente snel om de kinderen gerust te stellen. 'Er is wel een reden om voorzichtig te zijn. Speel niet op afgelegen of eenzame plaatsen. Ga nooit mee met personen die je niet kent. Stap zeker niet bij een onbekende in een auto. Als een verdachte persoon je aanspreekt, meld het dan onmiddellijk aan je ouders. Probeer zo weinig mogelijk alleen op straat te lopen, maar vraag een vriend of vriendin om samen met je naar en van school te gaan.'

'Ze heeft het over het meisje dat ik op het speelpleintje gezien heb', fluisterde Hec in Vincents oor.

'Wat!' riep zijn vriend.

'Sst!' deed Hec.

Kinderen in de buurt staarden hem aan.

'Griezelig', mompelde Vincent.

Hec probeerde zich stoer te houden, ondanks de rillingen over zijn rug en de kriebels in zijn buik.

'Met de hulp van de bevolking zullen we het verdwenen kind snel vinden', besloot de agente. 'Na een paar dagen raken de meeste verdwijningen opgelost. Gelukkig maar. Houd dus je ogen open. Wees voorzichtig. En geniet van je vrije weekend.'

Een beklemmende stilte vulde de zaal. De directeur maakte een handgebaar. Iedereen mocht vertrekken.

'Je moet haar vertellen dat je het meisje gezien hebt', fluisterde Vincent.

'Nu? Hier?' vroeg Hec.

Hij voelde een verlammende paniek opkomen. Moest hij aan de directeur gaan vertellen dat hij Sofie had zien verdwijnen? Moest hij opbiechten dat hij een plankje tegen haar hoofd had gegooid? Terwijl in zijn agenda al een mega uitbrander stond voor dingen die in vergelijking daarmee niet meer dan lullige kwajongensstreken waren?

Hij rilde bij de gedachte hoe het schoolhoofd daarop zou reageren. Misschien stelde hij het beter uit. Tot... Tot...

Voor hij een besluit kon nemen, stompte Vincent hem in zijn rug.

'Kom!' beval hij en hij duwde Hec naar het podium.

'Ik... Maar... Wacht...' stamelde Hec, maar er was geen ontkomen aan.

De directeur en de agent daalden samen het trapje naar de zaal af.

'Meneer?' deed Vincent en hij duwde Hec naar het tweetal.

De directeur wierp een verstrooide blik op de jongens. Hec stak zijn hand op.

'Meneer?' vroeg hij.

'Later! Ik ben nu met deze mevrouw aan het praten', zei de directeur en uit zijn toon bleek duidelijk dat hij niet gestoord wilde worden door de vervelendste leerling van zijn school.

Hec en Vincent bleven verbouwereerd achter terwijl de directeur en de politievrouw door een zijdeurtje naar buiten gingen.

Ondanks de drukte was het ongewoon stil op het schoolplein. Overal vormden zich groepjes om samen naar huis te fietsen of te lopen.

'Wat heeft de directeur in je agenda geschreven?' vroeg Vincent.

'Dat ik moet gaan praten met een mevrouw van Leerlingenbegeleiding en dat hij me van school zal gooien als ik niet braaf ben.'

Vincent floot zachtjes tussen zijn tanden. Dit was shit. Hec zette weer zijn stoerste gezicht op.

'Ga je alleen naar huis of rij ik met je mee?' vroeg hij.

De omweg kwam Hec goed uit. Lummeltijd om over koetjes en kalfjes te leuteren. Een excuus om niet over zijn problemen te piekeren. Vincent gooide zijn hoop aan diggelen.

'Wat zal je vader zeggen als hij je agenda leest?' vroeg hij.

'Ik weet het niet.'

'Mijn vader zou in ieder geval...'

Vincent maakte de zin niet af. Hij rilde bij de gedachte hoe zijn ouders zouden reageren wanneer de directeur hem van school dreigde te verwijderen.

'Het kan me niet schelen', blafte Hec.

'Is dat niet de auto van Marino?'

De gedeukte gele Opel stond inderdaad tussen de auto's van ouders die hun kinderen van school haalden.

Hec en Vincent speurden de straat af. Marino was nergens te bekennen.

'We maken een ommetje door het centrum', stelde Hec voor. 'In de stad durft hij ons toch niet aan te vallen.'

Hecs hart klopte in zijn keel toen hij bij het kruispunt afscheid nam van zijn vriend. Vanaf nu stond hij er alleen voor.

De uitbrander van de directeur, de verdwijning van Sofie, de dreiging van Marino. Wat was het ergste?

'Tot later', zei Vincent.

Hec zweeg om niet te verraden hoe gespannen hij was.

Er was nauwelijks verkeer in de stille wijk. Nu en dan een auto. Geen probleem. In de rechte straten kon hij die al van ver zien aankomen. Alleen wanneer hij een zijstraat kruiste, was het even spannend. Bij elke hoek vertraagde hij om naar de gele Opel uit te kijken.

Op het centrumplein stonden twee politiewagens. Nieuwsgierige buren hielden de auto's en het huis waarvoor ze stonden in de gaten. Hec probeerde om op een veilige afstand de gesprekken te volgen.

'Stel je voor!' keef een verontwaardigde man. 'Haar kind komt 's avonds niet thuis en ze wacht anderhalve dag met de politie te bellen! Wat voor een verloederde moeder moet je daarvoor zijn?'

'Het schijnt dat ze dacht dat het meisje bij haar ex-man was', antwoordde een vrouw.

'Waarom belde ze hem niet op? Het arme wicht is nog maar negen jaar!'

'Misschien had ze ruzie met haar vent', veronderstelde de vrouw. 'Misschien durfde ze hem daarom niet te bellen?'

'Ken je haar?' vroeg de man.

'Ze woont hier nog maar een paar weken!' riep de vrouw verontwaardigd. 'Hoe zou ik haar kennen? Of hém!'

Het gesprek stokte toen de agenten naar buiten kwamen. Hec aarzelde, maar liep dan toch naar hen toe. Een agent klapte het autoportier voor zijn neus dicht.

'Meneer?' mompelde hij, maar de flik praatte met zijn collega en lette niet op de schooljongen.

De auto's stoven weg. Hec keek ze beduusd na. Hij nam het paadje om het huis van Marino te vermijden.

# 10.
# Vrijdagavond
## BIJ HEC THUIS

Enkele minuten voor Hec zijn moeder verwachtte, stopte de wijkagent voor de deur. Hij bleef in de wagen zitten. Zijn vingers dansten op het stuur als op de tonen van een muziekje.

Hecs hart bonkte op een ander, feller ritme. Hij wist instinctief wat de flik van plan was. Hij kwam zijn moeder vertellen wat Simone hem verklapt had over het ongeval met de kleine Sofie. Alleen zou Simone niet verteld hebben dat het een ongeluk was. Zij vertelde nooit wat er echt gebeurd was.

Hij vroeg zich af waarom hij zo dom was geweest en zijn moeder gisteren niet meteen de waarheid had verteld. Had hij nog tijd om die fout recht te zetten?

De agent zette zijn pet op. De kleine, grijze auto van Hecs moeder knarste over het grind. De flik stapte uit. Hec wiste het zweet van zijn voorhoofd en wierp een snelle blik op het keukenvenster in nummer 18. Grijnsde Simone zo omdat ze Hec weer eens in de problemen had gebracht?

Hec rende naar beneden om de achterdeur open te doen voor zijn moeder.

'Wat heb je nu weer uitgevreten?' fluisterde ze.

Ze maakte een kwade hoofdbeweging in de richting van de straat en de wijkagent.

'Niets!' riep Hec.

'Lieg niet...'

'Echt waar', loog hij.

'Waarom staat de wijkagent dan voor de deur?' beet ze hem toe.

'Omdat...'

Voor hij met zijn verhaal over de kleine Sofie kon beginnen, rinkelde de bel. Scheller en dringender dan ooit. Zijn moeder repte zich om de agent binnen te laten. Hec drukte zijn gloeiende voorhoofd tegen de koude deur van de koelkast. Zijn hart klopte in zijn keel.

'Sorry voor het storen, maar ik moet je zoon een paar vragen stellen', zei de flik op een uiterst vriendelijke toon.

Hec slaakte een zucht van opluchting. Vragen stellen... Dat klonk niet als standjes of berispingen of woeste verhalen van de buurvrouw.

'Wat heeft hij nu weer uitgevreten?' snauwde Hecs moeder.

De agent leek even uit het lood geslagen door haar barse toon.

'Ach... Eh... Neen...' stamelde hij. 'Daar gaat het niet om. Ik ben hier voor een andere, eh, voor een dringende zaak. Ik hoop dat Hec de politie kan helpen bij een belangrijk onderzoek.'

'Hec! Hier komen! De agent wil je iets vragen!' schreeuwde zijn moeder opgewonden.

Hij kwam aarzelend de woonkamer binnen. De agent lachte hem bemoedigend toe.

'Daar ben je.'

'Je bent er toch zeker van dat hij niets uitgehaald heeft?' drong Hecs moeder nijdig aan.

'Neen, neen', suste de agent. 'Of toch niets om woorden aan vuil te maken. Kwajongens... Je weet hoe ze zijn. Daarover ga ik het nu niet hebben. Ik wil hem iets vragen over de verdwijning.'

'Het meisje?'

'Helaas.'

'Wat heeft Hec daarmee te maken?'

'Niets!' antwoordde de agent haastig. 'Maar ik heb toevallig vernomen dat hij...'

Hij zweeg abrupt en klapte een map open. Hij toonde het opsporingsbericht dat zijn collega op school had uitgedeeld.

'Heb je dat meisje ooit gezien?' vroeg hij.

Hec voelde zich opgelucht. Geen gezeur van Simone. Niets over het ongeval op het speelplein.

'Ja!' antwoordde hij en het klonk bijna als een vreugdekreet.

Hij hoefde niet eens naar de foto te kijken. Het beeld van het blonde kind was in zijn geheugen gegrift.

'Wanneer heb je haar voor het laatst gezien?' vroeg de agent.

Hec besefte maar al te goed dat de flik het al wist. En dus gooide hij het er allemaal in één ruk uit.

'Ik heb haar woensdagmiddag ontmoet. Op het speelplein aan de overkant. Ik wilde laten zien hoe hoog ik de schommel kon gooien. Het plankje heeft per ongeluk haar hoofd geraakt en toen is ze hard weggelopen. Door het paadje. Naar het plein.'

De agent knikte.

'Meer weet ik niet', zei Hec.

'Heeft ze zich pijn gedaan toen dat plankje haar raakte?' vroeg de agent.

'Misschien een beetje... Het was niet met opzet...'

'Natuurlijk niet', zei de agent.

'Ik wilde haar verzorgen, maar ze was weg voor ik kon helpen', zei Hec. 'Ze rende zo hard.'

'Heb je ook gezien waar ze naartoe liep?'

'Neen. Eigenlijk niet. Ineens was ze weg. Zomaar.'

'Hoe bedoel je dat?' vroeg de agent.

'Wel... Er groeit daar zoveel onkruid... Het ene moment

zag ik haar nog en het volgende was ze verdwenen.'

'Waar heb je haar voor het laatst gezien? Nog op het paadje? Of al op het centrumplein?'

'Op het paadje. Ze was toen iets meer dan halverwege, denk ik.'

Hecs moeder kuchte om aandacht te vragen. De agent maakte een gebaar dat ze niet tussenbeide moest komen. Ze wilde het niet snappen.

'Wat moest je op het speelplein?' vroeg ze kattig. 'Je had daar niets te zoeken. Je was gestraft. Je mocht helemaal niet buiten!'

'Maar... Maar... Er was helemaal niemand op het plein!' protesteerde Hec.

'Behalve dat meisje!' riep zijn moeder.

De agent gebaarde nogmaals dat ze zich niet met de zaak mocht bemoeien.

'Was ze er al toen je aankwam?' vroeg hij aan Hec.

'Ze is later gekomen. Ze stond plotseling naast me.'

'Hoe laat was dat?'

'Ik weet het niet.'

'Heeft ze iets tegen je gezegd?' wilde de agent weten.

'Ze vond schommelen leuk en ze wilde dat ik haar duwde.'

'Dat is alles?'

'Ja. Dat is alles.'

De agent gaf nog niet op.

'Wat voor kleren droeg ze?'

'Een rode muts met een pompon. Een gele regenjas en blauwe laarsjes.'

De agent schreef het op in een schriftje met een felgroene kaft.

'Als je nog iets te binnen schiet, bel je me dan?' vroeg hij. 'Om het even wat. Alles kan belangrijk zijn.'

'Hebben ze haar nog altijd niet gevonden?' vroeg Hecs moeder.

'Neen. Gelukkig weten we dankzij Hec dat ze over het paadje in de richting van haar huis liep. Dat kan belangrijk zijn.'

'Waarom?' vroeg Hec.

'Ze is thuis vertrokken zonder te zeggen waar ze heen ging', antwoordde de agent.

'Haar moeder wist het wel!' protesteerde Hec. 'Zij heeft Sofie de weg naar het speelpleintje gewezen. Dat heeft ze me heel duidelijk verteld.'

'Zie je wel!' deed de agent. 'Er is altijd wel iets dat je vergeet. Denk nog maar eens goed na en bel me als je nog iets te binnen schiet. Om het even wat.'

Hij gaf Hec een stevige handdruk.

'Bedankt, vent. Je hebt me goed geholpen.'

Hec gloeide van trots. Zijn moeder vergezelde de agent naar de deur.

'Zou ze nog in leven zijn?' fluisterde ze, alsof Hec niet mocht weten hoe bezorgd ze was.

'Zolang we haar niet gevonden hebben, gaan we ervan uit dat ze nog leeft', antwoordde de agent.

'Is ze ontvoerd door een maniak?'

'We moeten met alle mogelijkheden rekening houden.'

Hij deed zelf de deur open. Gehaast, alsof hij wilde voorkomen dat Hecs moeder hem met nog meer vragen zou bestoken.

'Bedankt. En nogmaals mijn excuses voor het storen', zei hij.

Hecs moeder wendde zich tot haar zoon.

'Misschien was jij wel de laatste die haar in leven zag', zuchtte ze. 'Vreselijk. Ik mag er niet aan denken.'

# II.
# Vrijdagnacht

Terwijl ze rechtstaand in de keuken een boterham veror-
berde, had Hec zijn moeder alles over het ongeluk met de
kleine Sofie opgebiecht.

Ze had gespannen geluisterd, was de tijd uit het oog
verloren en was daarna in alle haasten naar de gymles
vertrokken. Een meevaller voor Hec, want daardoor had ze
geen tijd meer voor vervelende vragen. En ook niet voor de
hysterische uitbarstingen of versmachtende knuffels waar
hij een gloeiende hekel aan had.

Over zijn aanvaringen met Marino was hij niet begonnen. En hij had ook niet de moed gevonden te reppen over
wat de directeur in zijn schoolagenda had geschreven.

Toen ze vertrok riep ze nog dat zijn vader tussen tien
en elf zou thuiskomen.

'Hij moet overuren kloppen', voegde ze eraan toe. 'En
dan nog eens drie uur rijden. Wat een hondenbaan!'

De stilte in huis maakte Hec nerveus.

Hij was met zijn kleren aan op bed gaan liggen, als een
vluchteling op zijn hoede voor onverwacht onheil.

Daarna had hij geijsbeerd van de gesloten kast met
spelletjes naar het raam en terug. Hij had boeken uit zijn
tas genomen, voor het geval dat hij zin zou krijgen om te

werken, maar hij had ze even snel weer teruggestopt.

Daarna was hij op een stoel voor het raam gaan zitten om de buurt te bespieden.

De keukendeur bij Simone stond op een kier. Een dun streepje licht vanuit haar woonkamer drong door in de duisternis, maar verder gebeurde er niets. Een man liet zijn hond uit op het speelpleintje en ruimde de drol op met een plastic zakje.

Een paar auto's reden voorbij. Het waren de buren die verder in de Tulpenstraat woonden.

Het huis van meneertje Fransen was donker.

Geeuwend trok Hec zijn pyjama aan en kroop onder de dekens. Slapen lukte hem niet.

Hij stelde zich voor wat er met Sofie kon gebeurd zijn. Daarna besloop hem de schrik voor Marino met zijn van haat en razernij verwrongen gezicht. En daarna overviel hem paniek voor de schrobbering die hem morgenochtend te wachten stond als zijn vader gelezen had wat de directeur in de agenda geschreven had.

Bij elk spookbeeld voelde hij zich zieliger. Hij was letterlijk door iedereen in de steek gelaten. Hij had zin om te huilen, maar kon het niet. Grote jongens huilen niet. Ze kropten hun treurnis op. Tot de druk te groot wordt en hun verdriet ontploft in een explosie van schuimende razernij.

Na een hazenslaapje schoot hij wakker van het geluid van een dieselmotor en wist hij dat zijn vader was thuisgekomen. Voetstappen. De sleutel in het slot. Een zware koffer landde op de keukenvloer.

Hec hield zijn adem in en luisterde naar zijn vader die de deur sloot. Gerommel in de keuken. De doffe plof van de koelkastdeur. Hij maakte zijn avondeten klaar.

Meteen daarna kwam zijn moeder thuis. Hec luisterde naar de stemmen. Geen woord kon hij verstaan, maar hij stelde zich voor dat ze hem over het meisje over de politieman vertelde, terwijl zijn vader zwijgend luisterde.

Even had hij zin om op te staan om zijn vader te begroeten. Zijn beste kant tonen. Punten scoren voor als hij morgen zijn agenda moest bovenhalen. Maar dan kraakte de trap. Zijn ouders kwamen naar boven. Hij hoorde hen fluisteren voor ze de deur van hun slaapkamer dichttrokken.

Dan werd het weer stil. Er zat niets anders op dan te woelen en te vechten tegen de monsters in zijn hoofd. En te hopen dat alle problemen als bij wonder opgelost waren wanneer hij morgen wakker werd.

# 12.
# Zaterdagochtend
## DE SLUIS

Door de sluisdeuren schoot een gulp water naar buiten. Een draaikolk liet de witte zak om zijn as tollen.

'Hé!' gilde Hec.

De onzichtbare klauw rond zijn hals loste haar wurggreep. De pijn in zijn borstkas ebde weg. Hij haalde diep adem en schreeuwde, veel harder dan de eerste keer.

'Hé! Hé!'

Het was zinloos gekrijs, want de sluiswachter kon hem niet horen. Hij zat hoog en droog in een glazen kooi en had alleen oog voor het schip dat traag in beweging kwam.

De schipper hoorde hem ook niet. Die zat in een stuurhut met gesloten ramen en deuren, afgeschermd van de daverende motor en het geklater van water dat van de hoge sluismuren viel.

Hec wilde naar de toren van de sluiswachter rennen om alarm te slaan, maar na twee stappen bedacht hij zich. Hij mocht de zak niet uit het oog verliezen, want het kolkende water sleepte hem mee naar het midden van het kanaal.

Het schip duwde een grote boeggolf voor zich uit. Het hele wateroppervlak was in beweging. Het deed de zak met schokken omhoogwippen.

De hand met de uitgestoken vinger wees naar de hemel.

Toen ging de zak onder.

Een schippersknecht wandelde langs de boord van het schip, zijn voeten nauwelijks een paar centimeter boven het water. Het leek alsof hij ter plaatse trappelde.

'Hé!' riep Hec.

De man keek hem aan, stak een hand op en verdween door een deurtje in het ruim.

Hec staarde naar de plek waar hij de zak het laatst gezien had. Het geweld van de schroef die nu op volle kracht draaide om het vaartuig op snelheid te brengen, woelde het water tot een schuimmassa. De zak kwam niet meer boven.

Hec holde naar het gebouw van de sluiswachter. Een stalen deur met een plaatje. *Verboden toegang. Alleen dienst.* Hij ging toch naar binnen. Aan de voet van de ijzeren trap riep hij naar boven.

'Hé! Hallo? Is daar iemand?'

Bijna onmiddellijk kwam een man kijken.

'Wat moet je?'

'Ik heb iets in het water zien drijven...' hijgde Hec. 'Een zak... Er zit een mens in...'

De man mompelde iets naar zijn collega en daalde de trap af.

'Daar', wees Hec. 'Waar het schip net voorbijgevaren is.'

'Wat was het? Een mensenlijk? Waar?'

'Een witte plastic zak. Hij was gescheurd. Er stak een hand uit. Zo.'

Hij deed voor hoe de wijsvinger naar zijn hart had gepriemd.

'Toon me eens  waar je de zak gezien hebt.'

De sluiswachter liep met Hec naar het uiterste punt van de kade waar ze een goed uitzicht hadden op het kanaal. De draaikolk was verdwenen, het schuimspoor bijna opgelost. Het afval klitte weer samen en trok zich als een smerig tapijt terug in de dode hoek tussen de sluismuur en de oever.

'De zak is gezonken toen het schip voorbijkwam', zei Hec.

'Mm', deed de sluiswachter. 'Een groot schip zuigt alles met zich mee. Dat ding kan intussen al honderd meter verder op de bodem liggen.'

Hij legde zijn hand op Hecs schouder. Een bemoedigend klopje.

'We kunnen niet veel ondernemen, knul', zei hij. 'Ik zal de politie bellen om de brandweer op te vorderen. Die lui hebben bootjes en gereedschap om te dreggen. Kom met me mee. We gaan een slokje drinken om van de emotie te bekomen. Daarna kun je de flikken precies uitleggen wat je gezien hebt.'

Hec wrong zich ruw los.

'Neen!' riep hij. 'Ik...'

'Wat?' blafte de sluiswachter ongeduldig. 'Je hebt de zak toch wel echt gezien? En die hand? Je haalt geen geintjes uit?'

'Neen, maar...'

'Wat, maar? Ben je bang van de politie?'

'Neen, maar ik moet wel op tijd thuis zijn', loog Hec.

Wat als de agenten vroegen wat hij op het jaagpad deed? Moest hij dan antwoorden dat hij van huis weggelopen was? Dat hij de zak had laten barsten met een in razernij weggesmeten baksteenscherf? En...

'Komt in orde, jongen', bromde de sluiswachter. 'Een drenkeling zoeken is belangrijker dan op tijd komen voor het middageten.'

Hij liet Hec plaatsnemen op een stoel bij een indrukwekkend controlepaneel. Zijn collega speurde met een verrekijker het kanaal af. Hec kreeg een glas limonade.

'De politie komt binnen een minuut of vijf', zei de sluiswachter.

'Daar is de Marie-Christine', zei zijn collega.

Een enorm binnenschip dook op in de verte.

'Die grote bakken woelen alles om. De hemel mag weten wat er met het lijk zal gebeuren', mompelde de man.

Hij wierp een verontruste blik naar Hec.

'Hoe groot was de zak?' vroeg de sluiswachter.

Hec maakte een gebaar met zijn handen.

'Het kan een kind geweest zijn', mompelde de sluiswachter. 'Een volwassene krijg je niet in zo een zakje.'

'Een kind', beaamde Hec.

Hij rilde. De sluiswachters wendden hun blik af. Ze dachten allemaal aan het meisje met een rood mutsje, een geel regenjasje en blauwe laarsjes.

'Ik hoop dat het niet waar is', fluisterde de man met de verrekijker. 'Een kind, verdomme.'

Een stem kraakte uit een luidspreker. De schipper van het tankschip Marie-Christine kondigde zijn komst aan.

'Minder vaart', zei de sluiswachter in de microfoon. 'Kijk uit voor een witte plastic zak op tweehonderd tot honderd meter voor de sluis. Er zit mogelijk een lichaam in.'

De sluiswachter richtte de verrekijker weer op de Marie-Christine.

'Houd het zog achter het schip in de gaten', zei zijn collega. 'Misschien maalt de schroef de zak naar boven. Het zou niet de eerste keer zijn.'

Hec staarde zo geconcentreerd naar het water dat hij niet eens merkte dat twee agenten de controleruimte waren binnengekomen.

'Ben jij de jongen die iets in het water heeft zien liggen?' vroeg een politieman.

'Eh... Ja...'

'Houd je sterk', zei de sluiswachter.

'Je zult wel geschrokken zijn?' vroeg de agent terwijl ze over het jaagpad liepen.

Hec knikte en staarde zwijgend naar het vuile water dat weer tot rust kwam nadat de sluisdeuren zich achter de Marie-Christine hadden gesloten.

De agenten lieten Hec zijn verhaal vertellen. Daarna wandelden ze heen en weer langs het kanaal, maar de witte zak kwam niet meer boven.

'Zonder de brandweer verliezen we onze tijd', besloot een agent met een diepe zucht. 'Je mag naar huis, jongen. Je hebt ons flink geholpen. Je bent een moedige vent.'

Hec aarzelde. Hij schraapte zijn keel.

'Het meisje... Het kind dat verdwenen is... Zou het kunnen?' vroeg hij.

'Dat haar lichaam in de zak zit? Hm... Soms zoeken we dagen naar een lichaam, zonder iets te vinden. En dan, ineens...'

'Ik heb haar nog op het speelpleintje gezien', zei Hec.

'Zo! Was jij dat? Ik heb van een collega gehoord dat ze daar het laatst was opgemerkt. Wat erg voor je...'

De politieman wreef door Hecs haar alsof hij hem daarmee extra moed kon geven.

'Ga nu mooi naar huis', herhaalde hij. 'En probeer te vergeten wat je gezien hebt, oké? Piekeren helpt niemand een stap vooruit.'

# 13.
## Zaterdagmiddag

BIJ MENEERTJE FRANSEN

Naar huis gaan?

Liever niet, dacht Hec. Beter wachten tot de woede van zijn vader bekoeld was.

Hij slenterde in een grote boog om de woonwijk heen. Misschien kon hij bij Vincent zijn hart luchten. Troost zoeken tot... Tot wanneer?

Hoe langer Hec door de troosteloze straten dwaalde, hoe onduidelijker zijn plannen werden. Door boos weg te lopen was er iets gebroken tussen hem en zijn vader. Net op het ogenblik dat hij hem nodig had om over ernstige dingen te praten. Niet over de idiote zaken van de school of van Marino, maar over de kleine Sofie. Over zijn domme gedoe met de schommel. Over haar verdwijning.

Hij zou hem willen zeggen dat hij spijt had.

En daarna zouden ze praten over het lijk in het kanaal.

Háár lijk.

Háár vinger die zijn hart doorboord had.

De pijn die hij gevoeld had.

Hec ramde zijn handen diep in zijn broekzakken. Hij trok zijn hoofd tussen zijn schouders tot zijn rug een hoge bult was. Hij kon niet gaan praten met zijn vader. Nu niet. Straks wel, misschien, wanneer het stof van de bittere ruzie was gaan liggen. Hij belde aan bij Vincent. Geen antwoord.

Hec verbeet zijn teleurstelling en doolde verder. Eerst naar het centrumplein waar Sofie woonde. Daarna langs het paadje.

De deur onder de vlierboom hing er nog altijd half open bij. Na zijn laatste bezoek was hij er niet in geslaagd ze weer helemaal dicht te trekken.

Hij waagde een blik in de tuin. Een raam stond open. Hec hoorde potten en pannen rammelen. Een vrouw riep iets dat hij niet verstond.

Een man in een afgeknipte jeansbroek en een onderlijfje droeg een wasmand naar buiten. Hec durfde zich niet te verroeren, bang dat de minste beweging hem zou verraden. Met ingehouden adem volgde hij wat de man op de wasdraad hing. Ondergoed, kousen, truitjes, bloesjes, een hemd. Pas toen de man weer binnen was, durfde hij zich te bewegen. Hij rende naar het uiteinde van het paadje.

Daar loerde hij voorzichtig over de haag van meneertje Fransen. Zijn vader knipte in de voortuin uitgebloeide rozen af en smeet ze in een kruiwagen. Knip. Gooi. Knip. Gooi. Kort en fel. De afgemeten bewegingen van een tuinder die precies wist wat hij deed en het werk wilde laten opschieten of nukkige handelingen van een man die zijn opgekropte woede probeerde kwijt te raken?

Hec durfde niet tevoorschijn te komen. Hij leunde tegen de haag. Wat nu? Hij herinnerde zich de uitnodiging van meneertje Fransen: kom zaterdag naar mijn treintjes kijken. Dat zou hem nog wat respijt geven tot de woede van zijn vader definitief voorbij was.

Bij de voordeur aanbellen was uitgesloten. Daarom sloop hij toch maar de tuin in. Hij hoorde geen fluitjes of tikkende wieltjes. Misschien was Fransen niet thuis?

Vergissing.

Meneertje schoof de grote glazen deur open. Geruite pantoffels, een grijze pantalon, een wit hemd met één knoopje los. Hij keek streng.

'Zo. Daar ben je weer', bromde hij. 'Waarom heb je niet aangebeld?'

'Ik...' begon Hec, maar hij durfde niet te zeggen waarom hij nog maar eens als een diefje was binnengeslopen.

'Hec, is het niet? Kom maar binnen, Hec. Voor één keer zal ik het door de vingers zien. Heb je dat begrepen?'

Het meneertje sprak als een directeur. Iemand die altijd het laatste woord had en geen tegenspraak duldde.

'Het was een ongeluk', perste Hec eindelijk uit zijn droge mond. 'Ik raakte de deur aan en ze ging zo open.'

De man grinnikte alsof hij Hecs leugentje een mop vond. Hij gebaarde dat de jongen hem moest volgen. Ze liepen door een woonkamer met fauteuils in zacht, bijna geel leer, een enorm plasmascherm en een tafeltje met een wijnfles en een glas. Een deur in donker hout. Een trap met een rode loper. Nog een deur. En daar...

Hec kon zijn ogen niet geloven. Overal zag hij treintjes. Sporen kronkelden door landschappen met huizen en straten en auto's en miniatuurmensjes en -dieren. Ze verdwenen in tunnels, kropen over bergen en langs meren. Een kabelbaan. Stations. Signalen. En te midden van dat alles stond een controlepaneel met meer knopjes en wijzers dan in de controlekamer van de sluiswachters.

Meneertje Fransen klikte een computer aan.

'Hiermee bedien ik alles', zei hij.

De kamer kwam als bij toverslag tot leven. Signalen schakelden van rood naar groen. Wissels verschoven. Fluitsignalen weerklonken uit luidsprekers in de vier hoeken van de kamer. Overal begonnen treinen te rijden.

'Ik heb een programma dat alles automatisch bestuurt', legde meneertje Fransen uit. 'De computer bepaalt welke treinen rijden en hoe snel ze mogen gaan en waar ze moeten stoppen. Zonder dat ik ook maar een vinger hoef uit te steken.'

Een glimmende grijze exprestrein flitste voorbij en

verdween in een lange tunnel. Een goederentrein van wel een meter lang kroop traag het spoor op dat de sneltrein net had verlaten.

'Wauw!' zei Hec.

'Dat heb ik allemaal zelf bedacht', zei meneertje Fransen trots. 'Ik heb er jaren aan gewerkt.'

Hec keek hem vol bewondering aan.

'En nu zal ik je laten zien hoe ik alles met de hand controleer', zei de man.

Hij tikte een paar toetsen aan. Plots stond alles stil. Meneertje Fransen draaide aan een knop op een afstands-bediening en een passagierstrein met een rode dieselloco-motief zette zich in beweging.

'Dat is de stoptrein', kondigde meneertje Fransen aan. 'Hij moet bij het volgende station halt houden, want...'

Een stoomlocomotief met een lange rij platte wagons waarop miniatuurboomstammen lagen, kroop traag voor-uit.

'Ik laat de stoptrein wachten tot de goederentrein voorbij is. En zodra ik die op het zijspoor heb geparkeerd...'

Hec volgde hoe de treinen elkaar kruisten.

'... dan vertrekt de sneltrein!' riep meneertje Fransen. 'Pas daarna is het spoor weer vrij voor de stoptrein.'

Uit de luidsprekers klonk het gepuf van de stoomtrein. Na een paar tellen werd het overstemd door claxons die de komst van een snelle expres aankondigden.

Meneertje Fransen lachte luid. Hij liet nog meer trei-nen starten, stoppen, wachten, vertragen, versnellen. Hij zwiepte de afstandsbediening heen en weer als een toverstaf waarmee hij het rijdende ballet dirigeerde.

En toen bracht hij alles weer tot stilstand.

'Prachtig!' zuchtte hij, meer tegen zichzelf dan tegen de jongen. 'Dat kun je in geen enkele winkel kopen.'

'Hoeveel heeft dat niet gekost?' vroeg Hec.

Meneertje Fransen haalde zijn schouders op.

'Wat kost het om elke week met vrienden op stap te gaan?' vroeg hij.

'Heb je...' Hec vroeg zich af hoe hij de vraag moest formuleren. 'Heb je ooit gestudeerd om speelgoedtreintjes te maken?' vroeg hij.

'Niet echt.'

'Werk je bij de spoorwegen?'

'Wat zou jij doen als je bij de spoorwegen werkte? In je vrije tijd met treinen en sporen bezig zijn?'

'Neen', lachte Hec.

'Nou dan... Ik werk voor Volksgezondheid. Het ministerie. Ik moet controleren of de artsen niet te veel geld uitgeven.'

'Is dat saai?'

'Soms... Nou... Heb je zin om machinist te spelen?'

Hij wees naar het grote controlepaneel met schakelaars, lichtjes en een zee van papiertjes die aangaven waar de knopjes en lampjes voor dienden.

Hec aarzelde.

'Doe maar', bood meneertje Fransen aan. 'Je hoeft heus niet bang te zijn. De computer houdt alles in de gaten. Als de treinen te dicht bij elkaar komen, stoppen ze automatisch. Dat heb ik ook uitgevonden. Misschien probeer ik ooit mijn systeem aan de grote spoorwegen te verkopen.'

Hec tikte voorzichtig tegen een schakelaar. Een rij lichtjes floepte aan. Een rangeerloc met twee koelwagons zette zich kuchend in gang. Uit de luidspreker snerpte een fluitstoot en uit de schoorsteen van het locomotiefje steeg een rookpluim op.

'Zo, we zijn vertrokken', zei meneertje Fransen.

# 14.
## Zaterdagavond

Hec was de tijd vergeten. De treintjes hadden hem helemaal opgeslokt. Geen seconde had hij gepiekerd over de problemen die hem buiten wachtten. Zelfs aan de dode hand en haar priemende wijsvinger had hij niet meer gedacht.

Toen hij over zijn schouder keek, landde hij met een schok in de echte wereld. Het was donker. En zijn problemen waren niet verdwenen. Ze hadden alleen maar gewacht tot de toverkracht van de treintjes haar greep loste.

Meneertje Fransen tokkelde op een laptop. Hij hield ermee op toen Hec zijn stoel naar achteren schoof.

'Ik schrijf een nieuw programma', mompelde hij.

'Ik moet...' begon Hec.

De man schudde zijn hoofd traag heen en weer.

'Ik denk dat je eerst en vooral moet vertellen wat er met je aan de hand is', zei hij.

'Wat?'

'Je zit in de problemen, jongen. Dat is zo klaar als een klontje. Waarom biecht je niet op wat er met je gebeurd is? Het zal je opluchten.'

Hec sloeg zijn ogen neer.

'Je bent gespannen. Je veer kan elk ogenblik knappen', zei meneertje Fransen.

'Neen', fluisterde Hec, al wist hij dat de man gelijk had.

'Soms is het gemakkelijker een geheim te delen met een vreemde dan met je ouders of met je beste vrienden. Vertel me wat er op je hart ligt. Het zal je goeddoen.'

'Er is niets', hield Hec koppig vol.

Waarom zou hij zijn hart uitstorten bij een vreemde snoeshaan? En als hij het deed, hoe kon een eenzaat als meneertje Fransen begrijpen wat er in hem omging?

'Heb je ruzie gemaakt met je vriendinnetje?' suggereerde de man.

Hec wendde zijn gezicht af en staarde naar het duistere raam.

'Heb je een vriendinnetje? Of is er iets misgegaan met een vriend?'

'Neen.'

'Geen liefdesverdriet dus?' vroeg Fransen, alsof hij een trefwoord van een lijst schrapte. 'Ruzie met je ouders dan? Dat is haast even erg.'

Hij zat nog altijd in dezelfde houding op zijn stoel aan de andere kant van de kamer. Half naar Hec toegekeerd, zijn benen gekruist, een elleboog op het tafelblad.

Hec schraapte zijn keel.

'Het gaat niet goed op school', fluisterde hij.

Hij was bang om hardop te praten, want dan zou meneertje Fransen horen hoe hees en verstikt zijn stem was.

'Mm', deed de man. 'Trubbels op school en daardoor ruzie thuis. Dat is moeilijk.'

Hec bezweek.

'Ik heb een meisje met het plankje van een schommel tegen het hoofd geslagen', bekende hij. 'Het was een ongeluk. Maar nu is ze dood en ik heb haar lichaam in het kanaal zien drijven. Het zat in een witte zak.'

Hij sprak schor en krassend, bijna struikelend over zijn woorden.

Meneertje Fransen ging verzitten. De glimlach was van zijn gezicht verdwenen. Hij probeerde een touw vast te knopen aan de woordenstroom.

Hec vermeed zijn borende ogen en staarde naar de deur. Kon hij zo maar wegrennen? Durfde hij op de vlucht te slaan voor die vreemde man die hem schijnbaar moeiteloos gedwongen had op te biechten wat hem zo triest en ellendig maakte?

'Hoe heet het meisje?' vroeg Fransen zacht.

'Sofie.'

'Was zij je vriendinnetje?'

'Neen. Ik kende haar niet eens. Ze liep per ongeluk voor de schommel.'

'Vertel het zoals het gebeurd is.'

Hec vertelde alles. Over de schommel en de school en het kanaal en hoe alleen hij zich voelde en hoe kwaad hij was omdat niemand hem wilde begrijpen en dat hij echt wel van zijn moeder en zijn vader hield, ook al konden die heel streng en kort zijn, en hoe hij de deur achter zich had dichtgegooid en...

Ademloos, opgewonden, verward deed hij zijn verhaal. Niet als een stoere volwassene, maar als een hulpeloos kind. En hoe meer hij vertelde, hoe vrijer hij zich voelde.

Fransen onderbrak hem niet één keer. Ook niet toen de uitbarsting zo ingewikkeld werd dat Hec in zijn eigen woorden verdwaalde. Pas toen de jongen zweeg, zijn lippen trilden en tranen zijn ogen vulden, deed meneertje Franssen zijn mond open.

'Wat erg. Wat vreselijk erg!'

'Ik moet naar huis', fluisterde Hec omdat hij niet in een onbedaarlijke huilbui wilde uitbarsten onder de ogen van die vreemde man.

'Ja. Ik denk dat je nu beter gaat', zei Fransen.

Geen greintje ironie, geen spoor van spot, maar eindeloos veel begrip. Een bemoedigend, geruststellend glimlachje.

'Je ouders maken zich zeker zorgen over je', ging Fransen verder. Ze zullen bang zijn dat jou iets overkomen is...'

Meneertje Fransen daalde als eerste de trap af.

'Als je nog een keer zin hebt om met de treintjes te spelen... Om je zinnen te verzetten...'

Hec knikte.

'Op zaterdagmiddag ben je altijd welkom', zei Fransen en hij liet Hec ontsnappen.

# 15.
# Zaterdagavond
### BIJ HEC THUIS

Met bonkend hart stak Hec de straat over. De rolluiken van zijn huis waren gesloten. Geen straaltje licht kwam naar buiten. Het was alsof hij voor een bunker stond. Hij was bang dat zijn vader zou opendoen. Groot en fors. Als een boze reus zou hij op zijn zoon neerkijken.

Misschien ging hij toch maar beter langs de achterdeur, als die nog open was. Terwijl zijn ouders, zoals meestal op zaterdag, naar de televisie keken, kon hij ongezien naar binnen sluipen en zich in bed verstoppen.

Misschien hadden ze hem niet eens gemist, maakte hij zichzelf wijs. Misschien waren ze zelfs blij dat ze van hem verlost waren. Hec, de lastpost die nooit iets goed kon doen.

Misschien, misschien...

Hij raapte al zijn moed bij elkaar en belde toch maar aan.

'Eindelijk', zei zijn vader.

Het klonk als een zucht van opluchting.

'Hec!' gilde zijn moeder.

Als een wervelwind stormde ze door het gangetje. Ze duwde haar man opzij en tilde Hec op alsof hij een kleine peuter was. Ze drukte haar gezicht tegen het zijne. Het was nat van tranen, kleverig van snot.

'Wat ben ik blij dat je thuis bent', snikte ze.

Ze droeg hem naar binnen alsof hij te zwak was om de vijf passen naar de woonkamer te zetten.

'Mama... Toe...' protesteerde hij.

'Je bent ongedeerd', snikte ze. 'Hec! Zeg me dat je ongedeerd bent!'

Hec keek naar zijn vader. Was hij ook blij dat hij thuisgekomen was? Of was het geen opluchting die hij op zijn gezicht las, maar ongeduld om te horen wat zijn verrekte zoon nu weer uitgevreten had?

'Ik laat de politie weten dat hij veilig en wel thuis is', zei hij rustig en beheerst.

'We hebben je als vermist opgegeven', snotterde Hecs moeder. 'We waren heel ongerust, je vader en ik. We dachten de hele tijd aan dat meisje. En toen zei de politie dat je een lijk in het kanaal had zien drijven! We waren toch zo bang dat je domme dingen had gedaan! Je vader en ik, we...'

Haar getater veranderde in hysterisch gesnik. Hec voelde zich zo verschrikkelijk schuldig dat hij er geen woorden voor had.

Hij hoorde zijn vader aan de telefoon praten. Kort en droog, de simpele mededeling dat zijn vermiste zoon ongedeerd opgedaagd was.

De agent aan de andere kant stelde blijkbaar een vraag, maar Hecs vader maakte kordaat een eind aan het gesprek.

'Goed. Als je nog iets wilt weten, bel me dan morgen. Ik ben de hele ochtend thuis. Dag.'

'Ik was bij meneertje Fransen', biechtte Hec op. 'Hij heeft me met treintjes laten spelen. Hij heeft een spoorbaan zo groot dat ze een hele kamer vult.'

'Treintjes?' vroeg zijn vader.

'Treintjes!' riep zijn moeder en ze barstte in nog heviger snikken uit.

'Had je dan niet even de moeite kunnen doen ons te laten weten waar je uithing?' blafte zijn vader.

'Ik heb er niet aan gedacht', loog Hec.

'Niet aan gedacht?'

Hec kromp ineen.

'Wat heb je nog gedaan, behalve met treintjes spelen?'

'Toe...' suste zijn moeder.

'Niets. Alleen met treintjes gespeeld. Ik was vergeten hoe laat het was.'

'En wat heeft die vent met je uitgestoken?' gromde zijn vader.

Het klonk als een aanval. Hec verstarde. De blinde woede die hem naar de sluis had gedreven, stak de kop weer op.

'Hij heeft niks uitgestoken!' krijste hij. 'Hij heeft me gewoon laten spelen! Zolang ik wilde! En toen heeft hij naar me geluisterd! Hij wel!'

Hij had zijn vuisten gebald en wilde rechtop springen, maar zijn moeder hield hem tegen.

'Rustig maar, rustig maar', fluisterde ze. 'Je bent thuis. Dat is het belangrijkste. Kom nou. Heb je al gegeten?'

'Ik snap er niets van', zuchtte zijn vader. 'De hele middag bij die kwiet zitten, terwijl je ouders zowat doodgaan van ongerustheid.'

'Hij heeft tenminste naar me geluisterd!' herhaalde Hec.

Zijn vader wendde zijn hoofd af.

'Wat wil je eten?' vroeg zijn moeder alsof er niets aan de hand was.

'Laat hem zijn eten maar zelf klaarmaken', foeterde haar man. 'Hij heeft ons toch niet nodig. We zullen zien of hij groot genoeg is om voor zichzelf te zorgen.'

'Walter...'

Hecs vader liet zich in de stoel vallen, de grote, brede fauteuil waarin hij diep wegzakte en waarin alleen hij mocht zitten wanneer hij thuis was. Zwijgend staarde hij naar de televisie.

'Ik maak iets lekkers voor je klaar', zei Hecs moeder. 'Kom nou maar. Daarna mag je gaan slapen. Of televisie kijken, als je zin hebt. En bied nu je excuses aan aan je papa. Hij is toch zo ongerust geweest...'

Zijn vader deed alsof hij het niet hoorde. En Hec nam zich voor recht naar zijn kamer te gaan en zeker geen verontschuldigingen aan te bieden.

# 16.
# Zondagochtend
### BIJ HEC THUIS

Wat had Hec gewekt? Het doffe motorgebrom? Het gemurmel van stemmen? Of een extra zintuig?

Het was tien voor zes. Vaal ochtendlicht scheen door een kier tussen de gordijnen. Hec spitste zijn oren. Het klonk alsof mannen vlak onder zijn venster een praatje maakten. Op de toppen van zijn tenen sloop hij naar het venster.

Voor het huis van meneertje Fransen stond een blauwe auto. Hec kende het merk. Een Mazda. Een man zat achter het stuur. Twee anderen praatten met Fransen. Het meneertje stond in de verlichte deuropening. Onder zijn kamerjas waren de pijpen van een pyjamabroek en blote enkels zichtbaar.

De mannen droegen armbanden. Het was te donker om te lezen wat erop stond, maar Hec wist het ook zo wel. Hij had vaak genoeg dergelijke armbanden op televisie gezien om te weten dat de mannen politieagenten in burger waren. Speurders die zich bezighielden met zware misdrijven.

Meneertje Fransen liet de rechercheurs binnen. Hec wachtte. Sneller dan verwacht kwam het drietal weer naar buiten. Fransen was gekleed alsof hij naar zijn werk ging; in deftig pak en smetteloos hemd, maar zonder boekentas. Hij speurde schichtig om zich heen of niemand getuige was dat hij zo vroeg in de morgen met de politie meeging.

Hec hield zijn adem in. Een oogwenk leek het alsof de man hem had gezien, maar dan was het voorbij. Portieren klapten toe. De auto vertrok bijna geruisloos. Hec rukte de gordijnen open. In het fletse licht kon hij twee schimmen op de achterbank ontwaren. Meneertje Fransen naast een agent.

Plots merkte hij dat ook Simone van nummer 18 de vertrekkende auto had bespied. Met haar kin vooruitgestoken en haar armen voor haar borst gevouwen, stond ze op de stoep onder de straatlamp te gloriëren alsof ze een vijand een fatale klap had toegebracht. Voor Hec zich in het duister kon terugtrekken, kreeg ze hem in de gaten. Ze schudde afkeurend haar hoofd.

Hec kon het niet laten zijn tong uit te steken voor hij naar zijn bed vluchtte. Hij was zo moe dat hij in slaap viel voor hij kon nadenken over wat hij gezien had.

Twee uur later ging de telefoon. Een paar tellen later stond zijn vader bij zijn bed.

'Dat was de politie', zei hij. 'Er is iets met die Fransen aan de hand. De agent vroeg of de recherche jou enkele vragen mag komen stellen.'

Hec rilde.

'Ik denk dat het hoog tijd is dat je me uitlegt wat je gisteren bij die kerel hebt uitgespookt.'

'Ik heb het je al verteld', antwoordde de jongen. 'Echt waar. Alles.'

Zijn vader keek hem indringend aan.

'Echt waar?'

'Ja.'

Hec voelde dat iets hem hoog zat. Iets waarover hij moeilijk kon praten. Zijn vader kuchte. Hij klemde Hecs hand stevig in de zijne. De jongen kon zich niet herinneren wanneer hij dat nog gedaan had.

'Als er toch iets gebeurd is dat niet door de beugel kan...' begon hij. 'Eh... Als hij je... Eh... Als die man je mishandeld heeft... Ik bedoel, als hij je betast heeft of zo... Zeg het me nu, dan kan ik je helpen als de flikken erover beginnen.'

'Meneertje Fransen heeft niets verkeerds gedaan!' antwoordde Hec fel. 'Hij heeft me niet aangeraakt. Hij is heel vriendelijk geweest. Echt waar.'

'Dan hoef je nergens bang voor te zijn', zei zijn vader met een luide zucht van opluchting.

'Ik heb gezien dat de politie Fransen is komen halen', biechtte Hec op. 'Vroeg in de ochtend. Ze waren met drie. Simone van nummer 18 stond op de stoep. Je mag het haar vragen. Ze heeft alles zien gebeuren.'

Zijn vader keek hem verbaasd aan.

'Ik heb niets gehoord', zei hij. 'Waarom hebben ze hem meegenomen?'

'Ik weet het niet.'

Hec wachtte gespannen af.

'Met treintjes spelen is geen misdaad', zei zijn vader tenslotte. 'En wat de flikken betreft... Ik zal altijd bij je zijn. Als ze moeilijke vragen stellen, laat je mij maar het woord voeren.'

'Dank je', had Hec willen fluisteren, maar om een of andere reden kreeg hij het niet uit zijn mond.

'Kom nu maar uit je nest. Dan heb je tijd om te ontbijten voor die types ons lastigvallen.'

'Oké!' zei Hec en hij hoopte dat het een beetje klonk als het 'dankjewel' dat hij eigenlijk had willen uitspreken.

Twee flikken. Een man en een vrouw in burgerkleren. Hecs vader keek vluchtig naar hun dienstkaarten en liet hen plaatsnemen op de bank in de zitkamer. Hecs moeder bracht koffie, koekjes en chocolade.

Hec vond dat de rechercheurs er nogal gewoontjes uitzagen. Helemaal niet als speurders die hele dagen bezig zijn met het oplossen van bloederige misdaden en het inrekenen van gemene bandieten.

'Dus jij bent Hec', zei de man met een gemaakt glimlachje. 'Ik ben Erik en mijn collega heet Leonie. We zijn van de federale politie. Gerechtelijke dienst. We willen je enkele vragen stellen. Als je vader het goedvindt.'

'Waarover?' vroeg Hecs vader kortaf.

'We hebben vernomen dat je zoon gisteren lange tijd heeft doorgebracht in het huis van de heer Fransen.'

'Hec was nogal overstuur. Hij had een lijk in het kanaal zien drijven.'

Het tweetal knikte. Ze waren op de hoogte. De vrouw richtte zich tot Hec.

'Was het eng?' vroeg ze.

Ze had een zachte, moederlijke stem. Een persoon die je meteen zou vertrouwen. Zolang je er maar niet aan dacht dat ze een politievrouw was.

Hec haalde zijn schouders op.

'Ja, nogal', fluisterde hij.

'Ik heb het proces-verbaal van de lokale politie gelezen', zei ze. 'Het schijnt dat er een hand uit de zak stak?'

'Ja. Dat heb ik gezien.'

'Is de zak al opgevist?' vroeg Hecs vader.

'Het stoffelijk overschot is nog niet gevonden', antwoordde Erik. 'Het kan nog dagen duren voor we weten wie het slachtoffer is. Als er een slachtoffer is, want dat is nog niet zeker.'

'Heeft Fransen er iets mee te maken?'

'Sorry. Het onderzoek is geheim.'

'Wat heb je zoal gedaan nadat je bij de sluis weggegaan bent?' vroeg Leonie aan Hec.

'Ik heb zomaar wat rondgelopen...'

Hij waagde sluiks een blik naar zijn vader. Die staarde naar zijn handen die gevouwen in zijn schoot rustten. Zijn manier om met de spanning om te gaan.

'Ik was bang om naar huis te gaan', bekende Hec.

Zijn vader keek met een schok op.

'Hec maakt een moeilijke tijd door', zei hij tegen Leonie. 'Hij heeft wat last op school en zo. Puberstreken. Ik probeerde hem uit te leggen dat hij dringend zijn leven moest beteren en toen is hij zowat ontploft. Jullie kennen dat wel.'

De politievrouw lachte zachtjes.

'Puberstreken?' vroeg ze. 'Ach... Iedereen maakt het wel mee... Waarom ben je ontploft, Hec?'

De jongen wist niet wat te antwoorden. Waarom?

'Omdat je het moeilijk vond, je vader gelijk te geven? Zelfs al besefte je dat hij het bij het rechte eind had? Was het dat?'

Natuurlijk was het dat, dacht Hec, maar hij had totaal geen zin om het toe te geven.

'Misschien.'

'Je hoeft je niet te schamen', stelde ze hem gerust. 'Het hoort nu eenmaal bij je leeftijd. Je vader heeft ook zo een periode doorgemaakt. Wedden?'

'Reken maar', bromde Hecs vader. 'Maar dat is nog geen reden...'

'Laten we er verder geen woorden aan vuilmaken', onderbrak rechercheur Erik hem. 'Jullie ruzie is over. Ja, toch?'

'Ja', fluisterde Hec en tot zijn grote vreugde zag hij zijn vader enthousiast knikken.

'Je was dus bang om recht naar huis te gaan', nam Leonie het van haar collega over. 'Wat heb je toen gedaan?'

'Meneertje... Meneer Fransen had gezegd dat ik met zijn treintjes mocht spelen. Ik hoefde op zaterdag maar aan te bellen...'

'Waarom op zaterdag?' vroeg Leonie.

'Omdat hij anders geen tijd had?' vroeg Hec zich hardop af. 'Hij had gezegd dat ik moest aanbellen, maar ik ben door de tuin naar binnen geslopen.'

'Waarom?'

Hij waagde snel een blik op zijn vader.

'Omdat ik niet wilde dat... Ik was bang dat mijn papa me zag...'

'Je kende de weg door zijn achtertuin?' vroeg Erik.

'Ik was er al geweest.'

'Wanneer?'

Hec haalde zijn schouders op. Het was een gewoonte geworden. Doen alsof het hele gedoe hem nauwelijks raakte. Gebaren dat hij groot en stoer was. Hard en volwassen.

'Eerder deze week', mompelde hij. 'Ik voelde toevallig aan de deur en ze was niet op slot.'

'En toen heeft hij je uitgenodigd? Weet je nog welke dag het was?'

'De dag dat ik het meisje... Woensdag.'

'Is het meisje ook in de tuin van Fransen geweest?' vroeg Erik.

'Neen. Daar was ze niet. Ik was er alleen.'

Erik leek diep na te denken. Leonie stelde de volgende vraag.

'Wat heb je nog gedaan bij Fransen, behalve met de treintjes spelen?'

'Niets.'

'En hij? Wat heeft hij gedaan?'

'Hij heeft de hele tijd op een computer zitten werken.'

'Was dat alles?'

'Toen ik wegging vroeg hij waarom ik zo gespannen was.'

Hec probeerde niet naar zijn vader te staren. Die keek weer intens naar zijn handen.

'We hebben een tijdje gepraat', ging de jongen verder. 'Over de ruzie op school en het ongeluk van Sofie en zo van die dingen...'

'En wat heeft hij daarover gezegd?'

'Niet veel. Hij luisterde.'

'En?' drong Leonie aan.

'Gewoon. Ik vertelde hem dat ik overal last had. Thuis en op school. En ook over de ruzie met Marino heb ik met hem gesproken.'

'Marino is die knaap met zijn oude auto's', zei Erik tegen zijn collega.

'Mm', deed Leonie en ze ging verder. 'Voelde je je veilig bij meneer Fransen?'

'Ja.'

'Heb je een nieuwe afspraak met hem gemaakt?'

'Neen... Ja... Min of meer, denk ik. Hij zei dat ik altijd mocht terugkomen.'

'Heeft hij je aangeraakt?' vroeg Erik. 'Heeft hij je bijvoorbeeld in zijn armen genomen of een zoen gegeven?'

'Neen!' antwoordde Hec fel, zijn stem ineens luid en schel.

Zijn vader keek hem vermanend aan.

'Neen', herhaalde hij, maar op een veel rustiger toon.

'Goed, jongen,' zei Erik. 'Dat heb je flink gedaan. Je hebt ons enorm geholpen. Wil je ons nu even alleen laten, zodat we met je vader kunnen praten? En met je moeder?'

Hec merkte voor het eerst dat zijn moeder het gesprek had gevolgd. Ze stond in de deuropening met nog meer koekjes.

'Er staat iets lekkers voor je klaar', zei ze terwijl ze met haar hoofd gebaarde dat hij naar de keuken mocht.

'Wat heeft meneer Fransen dan gedaan dat ze hem vanmorgen hebben meegenomen?' vroeg de jongen.

'Dat zijn we aan het uitzoeken', antwoordde Leonie. 'Het onderzoek is nog maar pas begonnen. Mogelijk heeft hij helemaal niets verkeerds gedaan. Laten we dat maar hopen, oké?'

'Het meisje... Sofie...' begon Hec, maar Erik onderbrak hem.

'Het is goed, Hec. Laat je ons nu even alleen?'

Met haar elleboog duwde zijn moeder de keukendeur dicht. Hec voelde zich buitengesloten. Hij probeerde op te vangen wat de volwassenen bespraken, maar van hun gefluister drong nauwelijks iets tot in de keuken door.

Het enige dat hij duidelijk hoorde, was een opmerking van inspecteur Erik aan het einde van het gesprek. Hij had een zware, luide stem.

'Je moet voorzichtig zijn met wat zo een jongen vertelt. Hij ligt met alles en iedereen in de knoop.'

Hec meende te verstaan dat zijn vader antwoordde dat hij zijn verhaal wel geloofde, maar echt zeker was hij niet.

# 17.
# Zondagmiddag
### BIJ HEC THUIS

De rechercheurs hadden nog maar pas de hielen gelicht of buurvrouw Simone klopte al op de achterdeur. Haar ogen blonken van nieuwsgierigheid.

'En?' hijgde ze.

'En wat?' gromde Hecs vader op zijn minst vriendelijke manier.

'Wat hebben ze gevraagd? Heeft hij het gedaan?'

'Wie heeft wat gedaan?' snauwde hij. Hij deed geen moeite te verbergen dat hij een hekel had aan de opdringerige buurvrouw

'Fransen! Het meisje. En met je zoon! Je weet wel.'

'Ik weet niet waar je het over hebt.'

Haar nieuwsgierigheid kende schroom noch grenzen.

'De mensen die net vertrokken zijn...' drong ze aan. 'Die waren toch van de politie?'

'Ja.'

'Wel? Wat hebben ze verteld?'

Hecs vader zuchtte en gaf zich voorlopig gewonnen.

'Ze hebben niets verteld, Simone. Ze kwamen inlichtingen vragen.'

'Inlichtingen!' riep de vrouw. 'Waar hebben ze die voor nodig? Ze weten toch alles!'

Alles wat jij hen verklikt hebt, dacht Hec.

'Alles wat jij hen verklikt hebt', beet zijn vader haar toe.

Simone kneep haar lippen tot dunne streepjes. Haar gezicht stond vol rode vlekken van opwinding. Hecs vader draaide zich om alsof hij haar alleen in de keuken wilde laten staan. Hec gloeide van de binnenpret. De nieuwsgierige geit kreeg eindelijk wat ze verdiend had. En nog wel van zijn vader!

'Is dat waar, Simone?' vroeg zijn moeder. 'Heb jij meneertje Fransen aangegeven?'

'Het was hoog tijd dat iemand ingreep!' riep de buurvrouw verontwaardigd. 'Of moest ik wachten tot hij ook Hec in zijn klauwen had?'

'Wat bedoel je daarmee?' blafte Hecs vader haar toe.

'Ik heb gezien wat ik gezien heb!' reageerde Simone fel. 'Ik was getuige van wat er met dat arme meisje gebeurd is. En ik heb duidelijk gezien dat je zoon bij die maniak binnensloop. Pas uren later is hij weer naar buiten gekomen. Ik heb alles gezien! En dat heb ik gemeld aan de politie. Moet ik dan altijd alles over mijn kant laten gaan?'

'Maar de jongen heeft niets misdaan!' riep Hecs moeder.

'Juist!' gromde zijn vader. 'En let op je woorden. Als ik ooit verneem dat jij over mijn zoon hebt geroddeld, dan...'

Hij vluchtte naar de woonkamer en gooide de deur achter zich dicht. Simone schudde haar hoofd.

'Ik? Roddelen?' vroeg ze en haar gezicht kleurde nog roder. 'Van mijn leven niet. Ik heb alleen gemeld wat ik gezien heb. Dat was genoeg! Meer dan genoeg!'

Hec kon zijn oren niet geloven.

'Genoeg?' schreeuwde Hecs moeder. 'Je weet niet wat Hec bij meneertje Fransen heeft gedaan! En toch ben je gaan kwekken dat hij de jongen gelokt heeft om... om vieze spelletjes te spelen. Hoe kom je erbij?'

'Dat heb ik nooit beweerd!' deed Simone verontwaardigd. 'Ik heb ze alleen maar gewaarschuwd dat er mogelijk een pedofiel actief was in onze wijk. Ik heb de politie gevraagd een oogje in het zeil te houden!'

Hec hield zich klein en onopvallend op de achtergrond.

'En geloof maar niet dat ik de enige ben die er zo over denkt!' siste Simone. 'Er zijn heus nog wel mensen die die vent in de gaten houden! Je moet blind zijn om niet...'

'Waar heb je nog meer over geroddeld?' vloog Hecs moeder uit. 'Dat het meisje in zijn tuin is gevlucht omdat mijn zoon haar gepest had? En dat Hec daarna naar binnen is gegaan, maar het meisje nooit meer is buitengekomen? Komt dat ook van jou?'

Simone keek verontwaardigd.

'Je hoeft het niet te bevestigen', zei Hecs moeder. 'Het stond allemaal in het proces-verbaal dat de rechercheurs bij zich hadden.'

'Maar ik heb gezien dat hij de schommel tegen dat kind heeft gesmeten', verdedigde Simone zich. 'En daarna is ze in paniek de tuin van die vieze pedofiel in gevlucht. Zo is het gebeurd en niet anders!'

Hec wilde protesteren, maar zijn moeder was hem voor.

'Zie je wel dat je hebt zitten liegen!' keef ze. 'Dat kind is naar het centrumplein gelopen. Hec heeft nog geprobeerd om haar in te halen. Zo is het gegaan en niet anders.'

Simone leek even uit het lood geslagen. Ze keek Hec hulpeloos aan. Met moeite onderdrukte hij een stoute grijns.

'Jullie hebben altijd iets tegen mij gehad', jammerde de vrouw, alsof ze het slachtoffer was van een boosaardig complot. 'Het volstaat dat ik wit zeg om jullie zwart te laten zeggen. Maar ik waarschuw je. Het zal je nog zuur opbreken. Als je ziende blind wilt zijn...'

Met haar neus in de lucht liep ze weer terug naar huis. Achter het keukenraam van nummer 18 zag Hec Simones man staan. Hij keek beteuterd, alsof hij zich schaamde over het gedrag van zijn woedende vrouw.

'De heks', gromde Hecs moeder. 'Stel je voor. Zomaar rond-
bazuinen dat die man een pedofiel is. Alleen omdat...'

Ze zweeg abrupt en staarde haar zoon onderzoekend
aan.

Hec raadde haar gedachten. Hij voelde twijfel bij haar
binnensluipen: wat als Simone toch eens gelijk had?

'Je hebt toch niets voor me verzwegen?' vroeg ze. 'Hij
heeft toch écht niet...'

'Neen', antwoordde Hec korzelig nog voor ze haar zin
kon afmaken. 'Hij heeft niets gedaan. Erewoord.'

'En het meisje?' vroeg ze. 'Je hebt niet gelogen over het
meisje?'

'Ik heb haar zien weglopen. Ze is niet bij meneertje
Fransen binnengegaan.'

'De politie vreest het ergste', zuchtte zijn moeder. 'Als
zo een jong kind na drie dagen nog niet thuis is...'

Ze wreef vermoeid met de rug van haar hand over haar
voorhoofd. Hec voelde zijn maag krimpen.

# 18.
# Zondagmiddag
## BIJ HEC THUIS

Enkele korte, droge zinnen op het radionieuws.

Ze zaten aan tafel, ieder op zijn eigen, vertrouwde plaats. Soep, gebraad met dikke, bruine vleessaus, zoete erwten en wortelen, knapperig gebakken aardappeltjes. Vanillepudding als toetje.

Het nieuws leverde een achtergrondgeluid waar Hec meestal niet naar luisterde. Behalve vandaag.

Een man was voorgeleid op verdenking van pedofilie.

De politie ondervroeg hem over de verdwijning van een negenjarig meisje.

Over beide zaken bewaarde het gerecht voorlopig het stilzwijgen.

Hecs vader trommelde traag met zijn vingers op tafel. Zijn moeder schoof haar pudding weg, ze had geen trek meer.

'Zou hij dan toch een pedofiel zijn?' vroeg ze.

'Het gerecht zwijgt', antwoordde zijn vader. 'Dat betekent dat het nog lang niet zeker is of hij iets uitgespookt heeft.'

'Zit meneer Fransen in de gevangenis?' vroeg Hec.

'Neen. Hij wordt ondervraagd in het gerechtsgebouw. Pas als blijkt dat hij echt iets op zijn kerfstok heeft, stoppen ze hem in de gevangenis.'

'Jij mag ervan denken wat je wilt, maar ik vind die kerel niet normaal', mompelde Hecs moeder. 'Zoals hij leeft?

Helemaal alleen in dat grote huis. Met treintjes! En dan zomaar een kind uitnodigen om te komen spelen. Dat doet een normale man toch niet?'

Hec keek naar zijn vader. Die zweeg lange tijd.

'Neen, maar een misdaad is het ook niet.'

Hij staarde zijn zoon aan.

'Wat denk je?' vroeg hij tenslotte. 'Gedroeg Fransen zich eigenaardig?'

Hec schudde zijn hoofd.

'Hij heeft me berispt omdat ik zijn tuin binnen was geslopen, maar hij was niet echt boos. Hij dacht dat ik zijn appels kwam stelen. Toen ik zei dat ik nieuwsgierig was omdat ik een treintje had gehoord, nodigde hij me uit terug te komen wanneer hij wat meer tijd had. Is dat eigenaardig?'

'Je moet oppassen voor vreemde kerels', zei Hecs moeder. 'Ik heb het je al duizendmaal gezegd. Nooit met vreemde mannen meegaan.'

'Meneertje Fransen is geen vreemde. Hij is onze buurman.'

'Die vent is niet normaal', herhaalde ze bits. 'Je had beter moeten oppassen.'

'Maar er is niets gebeurd!' riep Hec. 'Hij heeft me niet één keer aangeraakt!'

'Gelukkig maar', zei zijn vader. 'Laat het een les zijn. Je weet maar nooit als je met vreemde kerels omgaat.'

'Ik heb meer schrik van Marino dan van meneertje Fransen', protesteerde Hec.

Zijn vader gaf hem gelijk.

'Iedereen heeft schrik van Marino. Die lummel is een maniak. Blijf ver uit zijn buurt. Een betere raad kan ik je niet geven. Neem je schoolagenda. Die moet ik nog tekenen. En gedraag je voortaan wat beter in de klas.'

'Moet ik echt naar die vrouw van de Leerlingenbegeleiding?'

'Ja. De directeur wil het en dus doe jij het. Zo simpel is dat. Help je moeder afruimen. Daarna wandelen we tot bij de vijvers. Ik trakteer op pannenkoeken en ijs.'

Hec holde naar zijn kamer. Toen hij terugkwam, zei zijn vader:

'Nog één week en dan werk ik op een werf dichter in de buurt. Dan kom ik elke avond naar huis en zal ik je wat beter in de gaten houden. Gedaan met apenstreken. Oké?'

Bedankt, had Hec willen zeggen, maar weer kreeg hij dat simpele woord niet uit zijn mond. Hij hield het op een flauwe glimlach. Zijn vader zag het niet. Hij had alleen oog voor de zure opmerkingen van de directeur.

# 19.
# Zondagmiddag
## OP HET TERRAS BIJ DE VIJVERS

Op de kanaaloever staarden twee duikers naar het rimpelloze water. Vlakbij stond hun terreinwagen met een rubberboot op een aanhangwagen. Een paar toeschouwers wachtten op actie en sensatie.

'Na een tijdje komen lijken altijd boven', zei een van de nieuwsgierigen. 'Dan moet je er snel bij zijn, anders gaan ze voorgoed onder.'

'Het is een kinderlijk, schijnt het', zei een ander. 'Dat beweren ze toch. Nu ja. Zolang ze het niet opgevist hebben, kunnen ze niet zeker zijn.'

Hec bad dat zijn vader niet zou verklappen dat hij de witte zak ontdekt had. Het nieuwsgierige clubje zou zich ongetwijfeld op hem storten en luidkeels eisen dat hij alles van naaldje tot draadje uit de doeken deed. Alle details. Ook de hand en de vinger die naar zijn hart had gewezen.

'We zullen het wel horen als ze iets vinden', zuchtte zijn vader alsof de zaak hem niet langer interesseerde. 'Het zal wel op het nieuws komen als het zover is.'

In stilte volgden ze het pad tussen de velden en de weiden en dan trokken ze door het bos naar de vijvers met de terrasjes waar stadsmensen op zondagmiddag kwamen genieten van frisse lucht, sterk bier en zoete versnaperingen. Het was lang geleden dat ze er nog met hun drietjes geweest waren.

Op het parkeerterrein stond de opvallende auto van Marino. Instinctief zocht Hec beschutting bij zijn vader.

'Moet je zien wat een deuk', merkte zijn moeder op.

Hec klemde zijn lippen stijf op elkaar.

'Is dat jouw werk?' vroeg zijn vader.

'Ja', fluisterde Hec.

'Je bent nogal tekeergegaan.'

Hec antwoordde niet.

'Ik zou je moeten berispen', zei zijn vader. 'Je mag nu eenmaal geen deuken in auto's schoppen, maar eigenlijk... Ik zou net hetzelfde gedaan hebben als de schoft had geprobeerd me aan te rijden. En daarna zou ik hem zélf ook nog een trap gegeven hebben van hier tot ginder.'

Hec kon een grijns niet onderdrukken.

'Je zou beter je grote mond houden', vermaande zijn moeder haar man. 'Je hoeft de jongen niet aan te moedigen. Hij maakt het zo al bont genoeg.'

'Natuurlijk Maar anderzijds...'

Hij maakte zijn zin niet af en daar was Hec best tevreden mee.

Het was druk op het terras bij de eendenvijver. Diensters in zwarte rokjes en witte T-shirts renden af en aan met dienbladen vol glazen, kopjes en schotels. Een meisje gebaarde dat er een tafel vrij was bij het water.

'We hebben geluk', vond Hecs moeder.

Tussen de wirwar van gezichten herkende Hec een meisje uit de hoogste klas. Hij wenkte naar haar met de hoop dat zijn vader het zou zien als ze zijn groet beantwoordde.

Macho. Met een verveeld gezicht draaide ze haar hoofd van hem weg.

Trut, dacht Hec.

'Was dat je lief?' vroeg zijn vader met een spotlachje.

'Gewoon iemand van school', antwoordde Hec zo cool als hij nog kon.

'Wel, wel', gniffelde zijn vader. 'Er zitten tegenwoordig nogal seksbommen op die school van jou. In mijn tijd had ik minder geluk.'

Hecs moeder giechelde. De jongen bloosde.

'Trek het je niet aan, vent', grinnikte zijn vader. 'Jouw beurt komt nog wel.'

Hec wilde gaan zitten toen Vincent hem riep. Hij zat bij zijn ouders aan een tafeltje met nog een paar volwassenen.

'Dat is je kameraad', zei Hecs moeder. 'Hoe is het met hem? Heeft hij ook een oplawaai gekregen van de directeur?'

Hec gromde iets onverstaanbaars. Hij nam het zijn moeder kwalijk dat ze het pijnlijke onderwerp weer aansneed.

Zijn vader blies het vlammetje van de dreigende ruzie uit.

'Ga maar even naar hem toe', zei hij. 'Als het ijs en je cola komen, roep ik je wel.'

Hec repte zich naar Vincent. Halverwege trok Marino aan zijn mouw. In de drukte had Hec hem niet opgemerkt. Hij zat aan een tafeltje met een stel jonge vrouwen. Ze reageerden niet toen hun gastheer het jongetje brutaal naar zich toe trok.

'Jij en ik hebben nog een rekening te vereffenen', gromde Marino.

'Laat me los!'

'Niet voor je de schade aan mijn auto betaald hebt.'

Hec probeerde aan Marino's greep te ontkomen, maar de jongen was te sterk. Nerveus keek hij om zich heen. Wie kon hem helpen? Geen mens leek aandacht aan hem te besteden.

Marino trok Hec met een ruk dichterbij en klemde zijn vingers in een pijnlijke greep om zijn kin. Nu toonden de meisjes wel belangstelling.

'Is dat de kleine smeerlap die je auto zo toegetakeld heeft?' vroeg een van hen.

'Ik heb je toch voorspeld dat ik hem te pakken zou krijgen.'

Hec wilde protesteren, maar er kwam geen klank uit zijn mond. De hand om zijn kin voelde aan als een bankschroef.

'En nu gaat hij betalen', zei Marino tegen de meisjes. 'Duizend euro. Of ik wring zijn kop eraf.'

'Waar moet die sukkel duizend euro vandaan halen?' giechelde een meisje. 'Ik wed dat hij nog geen tien cent op zak heeft.'

'Ik weet waar hij het geld moet halen. Bij zijn vettige vriend die miljoenen op de bank heeft staan.'

Ondanks de pijn probeerde Hec zich vrij te spartelen. Marino's vingers drongen diep in zijn wang. Hij kreeg tranen in zijn ogen. Marino trok zijn hoofd naar beneden. Hec ging door de knieën.

'Meneertje Fransen', fluisterde zijn beul met zijn gezicht zo dichtbij dat Hec zijn bieradem rook. 'Meneertje Fransen, de pedofiel. Onze lieve Hec is het vriendje van een pedofiel. Wisten jullie dat?'

Hec maakte rochelende geluiden. De meisjes giechelden.

'Echt waar. Het mietje dat een deuk in mijn auto gestampt heeft, gaat op de schoot zitten van een smerig mannetje dat tussendoor ook nog een meisje vermoord heeft. Is het niet, Hec? Biecht het maar op. Nu je vriend in de bak zit, hoef je toch niet meer te zwijgen? Hé?'

Hec deed het enige wat hij nog kon. Hij spuwde zijn beul in het gezicht. Marino schrok. Hij loste zijn greep een fractie van een seconde. Dat volstond om Hec lucht te geven. Hij gilde zo luid hij maar kon.

Marino trok zijn hand weg. Hec sprong achteruit. Marino kwam overeind om zijn prooi opnieuw te pakken. En toen was Hecs vader daar.

'Je zoon heeft in mijn gezicht gespuwd!' tierde Marino.

'Hij sneed mijn adem af', hijgde Hec. 'En hij...'

Zijn vader legde hem met een kort gebaar het zwijgen

op. Hec deed een stap opzij. De meisjes hielden de adem in. Marino maakte zich groot en breed. Was hij van plan te vechten met de man die zoveel sterker leek dan hij?

'Heb je een probleem met mijn zoon?' vroeg Hecs vader.

'Hij heeft mijn auto beschadigd.'

'Toen jij probeerde hem van zijn sokken te rijden. Tweemaal zelfs.'

'Waarom zou ik dat gedaan hebben?'

'Vertel het me. Dan weet ik het ook.'

Hec keek schichtig om zich heen. Alle ogen waren op de twee kemphanen gericht. Sommige klanten waren rechtop gaan staan om niets van het tafereel te missen.

'Kom, Marino', smeekte een meisje.

'Ik wil dat hij de schade aan mijn auto betaalt.'

'En ik wil dat jij je tengels thuishoudt', antwoordde Hecs vader.

Marino maakte een dreigend gebaar. Hecs vader gaf geen krimp.

'Duizend euro', eiste Marino. 'Of ik stap naar de politie.'

'Doe maar. Ik wens je veel succes.'

'Ik zal de flikken vertellen dat je zoon met pedofielen omgaat', dreigde Marino zo luid dat iedereen op het terras het kon horen. Hecs vader lachte hem uit.

'Welke pedofiel? Heb je het over jezelf?'

'Houd op', smeekte het meisje opnieuw.

'Een pedofiel?' fluisterde een vrouw aan een naburig tafeltje, zo scherp en luid sissend dat het meters ver te horen was.

Hecs vader stak waarschuwend een wijsvinger uit naar Marino. Hij zag er zo angstaanjagend uit dat de slungel instinctief een stap achteruit deed. Daarmee had hij het blufgevecht verloren.

'Kom, we gaan!' snauwde hij de meisjes toe.

Ze gehoorzaamden met zoveel haast dat ze een paar stoelen omvergooiden. Marino struikelde bijna over de poten terwijl hij de benen nam. Hecs vader keek hem na met een triomfantelijke grijns op zijn gezicht.

Eenmaal op veilige afstand stak Marino een middelvinger op. Hecs vader reageerde niet.

'Die kerel heeft geprobeerd mijn zoon dood te rijden', zei hij tegen het publiek. 'Hij is zo gek als een rode schuurdeur.'

De nieuwsgierige gezichten wendden zich van hem af. Terwijl hij met Hec terug naar zijn tafel wandelde, rimpelde gefluister over het terras als golfjes die bij vloed over het strand stromen.

'Wat zei die vent over een pedofiel?'

'Had hij het over de viezerik die ze hebben aangehouden in de sociale woonwijk?'

'Heeft hij dat meisje vermoord?'

'Als het mijn zoon moest overkomen...'

'Wreed dat zulk volk vrij mag rondlopen...'

Hec vreesde dat hij in tranen zou uitbarsten als het gefluister niet ophield. Hij smeekte in stilte dat zijn vader en moeder onmiddellijk zouden opstappen.

'Mooi', zei zijn vader alsof er niets aan de hand was. 'Ik zie dat onze bestelling op komst is.'

# 20.
# Zondagavond
## IN DE TULPENSTRAAT

Toen Hec en zijn ouders thuiskwamen, leek de Tulpenstraat
een televisiestudio. Reporters met camera's en microfoons
hielden de wacht bij wagens met enorme schotelantennes.
Hec herkende een verslaggeefster die haast elke dag over
misdaden berichtte.

Een groepje buren sloeg het spektakel op een veilige
afstand gade.

'Ze wachten op Hec', zei Ernest, de man van Simone van
nummer 18.

Instinctief greep de jongen naar de hand van zijn vader.
Het was een geruststelling de harde, eeltige vingers te
voelen.

'Vanavond komt Simone op de televisie', zuchtte Ernest.

Hij probeerde te lachen, maar het klonk geforceerd
en zuur. Geen twijfel dat het gedoe hem op de heupen
werkte.

'Heeft ze weer het hoge woord gevoerd?' vroeg Hecs
moeder.

De man knikte vermoeid. Hij zag er zielig uit.

'Is er nieuws van meneertje Fransen?' vroeg Hecs vader.

'De politie heeft nog altijd niets meegedeeld. Daarom
vragen de televisielui de buren uit. Simone heeft haar lesje al
afgerateld. Nu willen ze horen wat Hec te vertellen heeft.'

'Geen sprake van', gromde Hecs vader. 'Ik verbied het.'

De jongen kneep nog steviger in zijn harde vuist. Bedankt papa, dacht hij.

Er kwam beweging in de groep perslui. Ze maakten de weg vrij voor Marino's gele Opel. De jongeman stopte midden in de troep.

Hec zag hem uit het raam leunen en naar hem wijzen. De hoofden draaiden in zijn richting.

'Kom', beval zijn vader. 'We gaan achterom.'

'Hé! Hec!'

De verslaggeefster zwaaide met beide armen naar hem.

'Houd je mond', siste zijn vader.

De vrouw rende hen achterna op het paadje naar de achtertuin.

'We hebben niets te vertellen', riep Hecs moeder.

'Mag ik toch?' drong de vrouw aan.

Ze droeg een microfoontje op haar blouse. Hec vond dat ze er op het scherm groter en mooier uitzag. Daar hijgde ze ook niet zoals nu.

'Laat de jongen met rust!' snauwde zijn moeder haar toe.

Hecs vader duwde zijn zoon en zijn vrouw voor zich uit. Cameralui wrongen zich langs hen heen en probeerden de weg te versperren. Mannen met microfoons aan lange staken voegden zich bij hen. Drie, vier verslaggevers schreeuwden vragen, allemaal door elkaar.

'Wat weten jullie van Fransen?'

'Hebben jullie vroeger ook al iets verdachts gemerkt?'

'Ben jij de jongen die het meisje heeft mishandeld?

'Heb jij het lijk in het kanaal zien drijven?'

'Heeft Fransen je aangerand?'

Hecs vader wrong de tuindeur met zijn schouder open en kwakte ze meteen weer dicht voor een opdringerige cameraman mee naar binnen kon glippen. Prompt doken er gezichten, camera's, lichten en microfoons op boven de haag.

'Eén vraag! Eén vraag maar!' riep een klagende stem.
'Alstublieft, meneer!'
'Meneer? Mevrouw?'
'Naar binnen', beval Hecs vader.

# 21.
# Zondagavond

Het televisienieuws had maar één hoofdpunt: de aanhouding van een vermeende pedofiel. In één adem vertelde de nieuwslezer dat in dezelfde buurt een meisje verdwenen was en dat een jongen mogelijk haar lijkje in het kanaal had zien drijven.

Met ingehouden adem staarde Hec naar het scherm. Alles wat hij zag, herkende hij. En toch leek niets op de werkelijkheid zoals hij ze beleefd had. Hoe meer hij zag en hoorde, hoe groter de verwarring in zijn hoofd.

Plots staarde Simone in de camera. De buurvrouw ratelde dat ze in haar keuken had gestaan om koffie te drinken en dat ze het meisje had gezien in gezelschap van... Hecs naam werd uitgewist met een luide BIEP.

'Het was een buurjongen?' hielp de verslaggeefster.

'Ja. Hij was het kind aan het plagen. Hij heeft het zitplankje van een schommel tegen haar hoofd gegooid.'

Beelden van de schommel. Het plankje bewoog. Door de wind of omdat iemand van de tv-ploeg ertegen had geduwd?

Hec gloeide van schaamte. Dat zomaar aan de wereld werd verteld wat hij in zijn domheid had uitgestoken...

Simone zei dat het meisje daarna was weggelopen. De camera zwenkte naar het donkere paadje. Aan sneltreinvaart sleurde hij de kijkers mee naar de groene deur van Fransens tuin.

'Daarna ben ik haar uit het oog verloren', ging Simone verder. 'Pas een tijdje later zag ik BIEP weer. Hij kwam uit de tuin van hém daar.'

Haar beschuldigende vinger priemde naar het huis van Fransen.

De camera toonde het huis.

En toen was de verslaggeefster weer live in beeld.

'Dat gebeurde vorige woensdag. Onze getuige verklaarde dat ze de jongen zaterdagmiddag opnieuw het huis van de verdachte heeft zien binnengaan. Pas 's avonds laat kwam hij naar buiten.'

Het gezicht van Simone vulde weer het scherm. Ze zag er beduusd uit. Blonken er werkelijk tranen in haar ooghoeken?

'Ik durf er niet aan te denken wat die man met het kindje gedaan heeft', kreunde ze. 'Ik mág er niet aan denken. Die vent is niet normaal, let op mijn woorden.'

'Over wat voor persoon hebben we het eigenlijk?' vroeg de nieuwslezer.

'Het gaat om een persoon van vooraan in de veertig', zei de verslaggeefster. 'Een vrijgezel die nauwelijks contact heeft met zijn buren.'

'Geen contact met zijn buren? Vreemd', zei de nieuwslezer. 'Heeft hij hobby's?'

'Ja. Een hele verdieping van zijn huis zou omgebouwd zijn tot modelspoorbaan. Een getuige verklaart dat de buurjongen gisteren met die treintjes heeft gespeeld. Al kan er natuurlijk ook iets anders met hem gebeurd zijn, dat moet het onderzoek nog uitwijzen. Het enige wat we met zekerheid weten, is dat de verdachte alle schuld ontkent.'

De nieuwslezer keek bezorgd in de lens.

'Geen spoor van het verdwenen meisje', zei hij. 'En de jongen? Hoe is het met hem gesteld?

De verslaggeefster ging verder.

'Ik heb natuurlijk geprobeerd met zijn ouders te spreken, maar zij weigeren alle commentaar. Het zijn rustige, brave mensen over wie iedereen in de wijk lof spreekt. Al moet ik er wel aan toevoegen dat de jongen al een paar keer problemen heeft gehad met de politie. Woede-uitbarstingen. Vandalisme. Niets crimineels, maar volgens mijn getuigen toch ernstig genoeg om er de aandacht op te vestigen. Het is ook opvallend dat uitgerekend hij de mysterieuze witte zak in het kanaal heeft zien drijven.'

'Bedankt, Erika', zei de nieuwslezer. 'Ik stel voor dat je ter plaatse blijft en ons van verdere ontwikkelingen op de hoogte houdt.' Hij wendde zich met een strenge blik tot de camera. 'Een kleurloze ambtenaar wordt ondervraagd wegens mogelijke kindermoord. Een rustige woonwijk staat op stelten. Een jonge tiener bevindt zich in het oog van de storm. We praten er in de studio over met professor Loveling, kinderpsychiater.'

De prof bleek een vrouw van middelbare leeftijd te zijn die lange, ingewikkelde antwoorden gaf op de simpele vragen waarmee de nieuwslezer haar voedde. Hecs ouders zaten op het puntje van hun stoel en spanden zich tot het uiterste in om haar woordenstroom te begrijpen. Hec haakte af.

Het was bijna halfacht voor andere nieuwsfeiten aan bod kwamen.

Wat hebben ze nu verteld dat echt waar is, vroeg Hec zich af.

## 22.
# Zondagnacht
### BIJ HEC THUIS

Voor Hec naar bed ging, had zijn vader in zijn wang geknepen. Een beetje speels, maar tegelijk toch ernstig.
'Beloof je dat je vanaf morgen je best zult doen?' had hij gevraagd.

'Ja, papa.'
'Zul je naar de goede raad van die mevrouw Binette luisteren?'
'Ja, papa.'
'Goed. Morgenavond bel ik mama om te vragen of je ook echt je leven gebeterd hebt. En vanaf volgende week zal ik elke avond thuis zijn om je in de gaten te houden.'
'Ja, papa.'
Met zijn hand op de schakelaar had zijn vader nog even getreuzeld.
'Wat anderen ook mogen zeggen of denken... Ik vind dat je verdomd dapper bent geweest. De meeste jongens van jouw leeftijd zouden allang gekraakt zijn als ze hadden meegemaakt wat jou overkomen is...'

Ondanks alle spanningen was Hec als een blok in slaap gevallen. Toen hij wakker schrok, dacht hij dat het al na middernacht was. De wekker leerde hem dat hij hooguit een halfuur geslapen had.

Hij staarde in de duisternis. Plots besefte hij dat er buiten iets gebeurde. Hij repte zich naar het raam. Met zijn handen als kijktunnel tegen het glas kon hij in de schaduw van de klimtoren vaag de omtrekken van drie mensen onderscheiden. De mannen droegen sweatshirts met kappen laag over hun voorhoofd, waardoor Hec hun gezichten niet kon zien. Als op een afgesproken signaal haalden ze iets uit de diepe borstzakken van hun sweatshirt. Hun armen gingen naar achteren.

'Hé!' gilde Hec.

Met een grote zwaai slingerden ze projectielen naar de ramen van Fransen.

'Hé!' schreeuwde Hec nogmaals.

Hij rukte het venster open en gilde als een slachtvarken. De mannen vluchtten naar het paadje. Een van hen keek naar de schreeuwende jongen. Een flits, meer was het niet, maar hoe diep hij de kap ook over zijn voorhoofd had getrokken, Hec was ervan overtuigd dat hij de tronie van Marino herkende.

'Wat? Wat?' hijgde Hecs vader, die met vier treden tegelijk de trap was opgestormd.

'Ze hebben de vensters ingegooid bij Fransen!' riep Hec.

'Wie was het? Heb je ze herkend?'

'Ze droegen kappen. Drie mannen.'

'Smeerlappen.'

'Ik denk dat Marino erbij was', zei Hec.

'Ik heb de politie al gebeld!' riep zijn moeder van beneden. 'Er komt een patrouille aan!'

'Te laat. Zoals altijd', gromde Hecs vader.

Hij rende de trap af. Hec volgde in pyjama, de veters van zijn schoenen nog los.

Bij Fransen lagen glasscherven op de stoep. In drie vensters gaapten grote gaten.

*Smeerlap! Verrek!* stond er op de voordeur geschreven.

Hecs vader schudde zijn hoofd.

'Dat komt ervan... Een half woord op de televisie en de hooligans slaan al toe...'

Enkele tellen later arriveerden twee agenten. Ze schetsten waar glasscherven gevallen waren en tekenden een plannetje van de gevel met de kapotte vensters. Daarna namen ze nog enkele foto's en belden ze naar het hoofdkantoor. Wat moesten ze verder nog ondernemen?

'Voorlopig niets', kwam het antwoord uit de radio. 'Noteer de namen van de getuigen en kom in de loop van de nacht nog een paar keer poolshoogte nemen.'

'Ik denk dat ik een van de boeven herkend heb', zei Hec.

De agent wimpelde hem af.

'Nu niet, jongen. Ga maar braaf slapen.'

Hij knikte naar zijn collega.

'Dat is de knaap die denkt dat hij een lijk in het kanaal heeft zien drijven.'

De collega deed alsof de jongen lucht was en wendde zich tot Hecs vader.

'Roep ons als je nog iets hoort. Al is die kans niet erg groot. Lafaards van dit slag laten zich meestal niet meer zien wanneer ze betrapt zijn.'

Hec beet op zijn lip om zijn woede en ontgoocheling te bedwingen.

# 23.
# Maandagochtend
### BIJ HEC THUIS

Pas uren later dommelde Hec weer in, maar zelfs in zijn slaap droomde hij dat hij wakker was.

Met kloppend hart sloop hij over het benauwende paadje. Om in het donker niet te verdwalen, hield hij zich met een hand vast aan de haag van meneertje Fransen.

Plots hoorde hij mensen in zijn richting rennen. Hij drukte zich met zijn rug tegen de haag. De taxus was zo hard als een bakstenen muur.

De lopers holden voorbij. De ene droeg een afgeknipte jeans, de andere een broek met smalle pijpen. Allebei hadden ze een donker sweatshirt met een kap aan. Hun gezichten glommen in het duister, alsof ze van binnenuit verlicht werden.

Marino!

De man van de wasmand!

Hec kneep zijn ogen dicht, zoals een kleuter die verstoppertje speelt en gelooft dat hij zich zo onzichtbaar kan maken. Hij hoorde de mannen hijgen. Ze waren helemaal buiten adem.

Plots besefte hij dat Marino hem ontdekt had en op zijn stappen terugkeerde. Hij wilde op de vlucht slaan, maar zijn benen leken betonnen stompen. Hard, zwaar en niet in beweging te krijgen.

'Nu ga je eraan, ventje', siste de jongeman.

Hij stond zo dichtbij dat Hec zijn adem op zijn gezicht voelde. Zijn handen sloten zich rond Hecs keel.

'Nee!' gilde de jongen.

Marino's knokige vingers knepen hard in zijn huid. Hij lachte met schokjes. Druppels speeksel spatten in Hecs gezicht.

'Is hij dat? De vettige klikspaan?' vroeg de kerel in korte broek.

'Dat is hij. De rotzak die kleine meisjes schommels tegen het hoofd gooit en ze daarna overlevert aan pedofiele meneertjes.'

'Geef hem maar aan mij. Ik weet wel wat ik moet doen. Ik trek het hart uit zijn lijf!'

Marino lachte. Zijn kompaan stak een hand uit. Hec voelde scherpe nagels in zijn borstkas snijden. Een klauw die naar zijn hart greep.

Met bovenmenselijke kracht duwde hij zich dieper weg in de haag. De harde, scherpe takjes prikten door zijn hemd. Het deed pijn, maar het was niets vergeleken met wat hij in zijn hartstreek voelde.

Plots bezweek de haag onder zijn gewicht. Hec viel krijsend achterover. De moordenaars moesten hun greep lossen. Hec tuimelde languit op het gazon tussen de fruitboompjes.

'Waar ben je, smeerlapje?' schreeuwde Marino.

'Waar zit je? Ik maak je van kant als je niet meteen zegt waar je je verstopt hebt!' riep zijn makker.

Het gras was nat en koud. Hec snakte naar adem. De killers vloekten en foeterden omdat ze hem niet konden vinden. Hec schoof op zijn rug over de grond. Weg van de haag! Naar het reddende huis van meneertje Fransen!

Marino morrelde aan de groene deur. Ze zat stevig op slot. Woedend schopte hij tegen het ijzer, een geluid dat door de hele wijk zinderde, maar de deur was zo sterk dat ze geen millimeter meegaf. Hec voelde iets hards tegen zijn hoofd. Hij keek op en zag dat hij bij de grote glazen deur was aangekomen. Sidderend van kou en angst kroop hij overeind tot hij op zijn knieën zat.

Plots schoof de deur open.

'Wat moet je?' vroeg een barse stem.

Hec herkende rechercheur Erik. Een wrede grijns speelde om zijn mond.

'Je bent teruggekomen naar de plek van de misdaad', bromde hij. 'Ik had het wel verwacht!'

Met een ruk trok hij Hec naar binnen. De woonkamer met de gelige, leren stoelen en het grote plasmascherm.

Op het salontafeltje lag een witte plastic zak. Er stak een hand uit. De wijsvinger op Hec gericht.

'Is dat Sofie?' vroeg Erik. 'Is ze dat? Beken maar, ventje, dat het Sofie is! Wat heb je met haar gedaan? Hé?'

Hec gilde. Hij zat rechtop in bed. Hij zweette en rilde tegelijkertijd van de kou. Met een bevende hand zocht hij de lichtknop.

Het was stil in huis.

Met een hoek van het laken wiste hij het zweet van zijn gezicht. Hij trok een droog T-shirt aan en ging op zijn bed zitten. Bij zijn ouders rinkelde een wekker. Kwart over vier, tijd voor zijn vader om te vertrekken. Hec liet zich uitgeput achterovervallen. Zijn hoofdkussen voelde kil en klam aan.

Toen hij stappen op de overloop hoorde, repte hij zich naar de deur.

'Moet jij niet slapen?' vroeg zijn vader.

'Ik heb je wekker gehoord.'

'Dat is ook de eerste keer.'

'Ik was al wakker. Ik had een nachtmerrie.'

'Toch niet van...?'

'Ik droomde dat Marino en nog een andere kerel me wilden vermoorden.'

Zijn vader lachte.

'Maak je daar geen zorgen over. Niemand zal een vinger naar je uitsteken. Zeker Marino niet.'

'Die andere man... Hij woont verderop in de straat. Misschien waren hij en Marino bij de drie die stenen gegooid hebben?'

Zijn vader aarzelde.

'Laat het weten aan de politie...' begon hij, maar Hec onderbrak hem meteen.

'De politie wil niet naar me luisteren. Heb je dan niet gehoord hoe die ene flik me afwimpelde?'

Zijn vader wreef door Hecs haar.

'Ik heb het gehoord, ja. Ik zal straks met die vrouw van de recherche bellen. Die zal ons wel geloven, daar ben ik zeker van.'

'Die ene man woont op de plek waar ik Sofie voor het laatst gezien heb.'

'Weet je zeker dat je dat ook niet gedroomd hebt?'

'Je gelooft me niet.'

'Hec! Ik geloof je wel! Ik bel die mevrouw Leonie. En vanavond bel ik jou om te horen hoe het gegaan is.'

'Bedankt.'

Het woord kwam er als vanzelf uit. Hec voelde zich bevrijd. Zijn vader glimlachte.

'Ga nu maar slapen, vent. Je hebt een zware dag voor de boeg. Eerst de directeur en dan die mevrouw en daarna de politie. Het spijt me dat je moeder of ik niet met je kunnen meegaan.'

'Ach... Dat komt wel in orde.'

'Natuurlijk. Je bent een grote jongen. Als je wilt, krijg je alles voor elkaar.'

Zijn vingers woelden door Hecs zweetnatte haar.

'Wel, wel, grote vrienden, zo vroeg in de ochtend', mompelde Hecs moeder slaapdronken.

Hec draaide verlegen zijn hoofd weg en vertrok weer naar zijn kamer.

Hoe hard hij het ook probeerde, slapen lukte niet meer.

# 24.

# Maandagochtend

## OP SCHOOL

Niemand besteedde aandacht aan de jongen die met zijn hoofd tussen zijn schouders naar school fietste. En toch voelde die jongen zich alsof de hele wereld hem aanstaarde.

De krant had een pagina gewijd aan het verdwenen meisje, de mysterieuze witte zak in het kanaal, de verdachte die mogelijk kinderen aangerand had. En aan een jongen die bij dit alles een belangrijke rol had gespeeld.

Hecs naam stond niet in het artikel. Zelfs over zijn leeftijd of woonplaats werd met geen woord gerept. Er stond helemaal niets in de krant dat aan buitenstaanders kon verraden wie 'de buurjongen' was. En toch voelde Hec zich alsof iedere lezer zou weten dat het over hem ging.

Overal in het bericht doken vraagtekens op. Was het verdwenen meisje vermoord? Had de moordenaar haar lichaam in een zak gestopt en in het kanaal gegooid? Bestond er een verband tussen het meisje en de aangehouden pedofiel?

Twee vragen dreunden zonder ophouden in Hecs hoofd.

*Is het geen griezelig toeval dat de buurjongen die het meisje als laatste in leven heeft gezien, ook de witte zak in het kanaal heeft zien opduiken?*

*Wat moet men ervan denken dat de buurjongen nog bij de verdachte op bezoek was, kort voor diens arrestatie?*

Waarom stelde de verslaggever die vragen? Wilde hij suggereren dat Hec meer wist dan hij tot nog toe had gelost? Erger nog, klonk het niet alsof hij hem medeschuldig achtte?

Zijn moeder had haar hoofd geschud bij het lezen van de krant en wel tienmaal herhaald dat Hec zich niets moest aantrekken van de krantenpraat. En ze drukte hem op het hart op school zo weinig mogelijk met de andere kinderen over de zaak te spreken.

'Begin er zeker niet zelf over', zei ze.

Met een klein hartje was Hec langs Marino's huis gefietst, maar de gele auto was weg. Als een schichtige wezel was hij voorbij het verwaarloosde huis van de man met afgeknipte jeans geflitst.

En nu stond Vincent voor hem.

'Hoe was het toen de televisie je filmde?'

Vincent had de beelden van de vorige avond gezien. Drie schuwe figuren die in een donker steegje vluchtten voor de camera.

'Bwah...' deed Hec alsof hij elke dag gefilmd werd voor een moordreportage.

'Waarom heb je je niet laten interviewen?' drong Vincent aan.

'Waarom zou ik?'

'Hoe was het bij die griezelige buurman?'

'Hij was niet griezelig. Hij was heel vriendelijk. Ik heb met zijn treintjes mogen spelen.'

'Mijn moeder zegt dat hij jongens lokt om ze dan te betasten, je weet wel, tussen hun benen.'

'Dat is een leugen.'

'Ze is er zeker van dat hij het meisje vermoord heeft. Ze heeft me verboden om nog in jullie straat te komen. Veel te gevaarlijk, vond ze.'

'Je moeder is gek', vond Hec. 'Toen Sofie wegliep zat Fransen gewoon met zijn treintjes te spelen.'

'Ja, maar later...'

Hec reageerde korzelig.

'Waarom zou hij haar vermoord hebben?'

'Die venten vermoorden kinderen omdat ze hen anders verraden!'

'Verraden? Wat kon ze verraden? Ze heeft meneertje Fransen zelfs niet gezien!'

Voor Vincent nog een onnozele vraag kon stellen, gebaarde coördinator Jan Derksen dat Hec hem moest volgen. Hij zuchtte. Moest hij zijn avonturen nu ook aan die lastpost gaan vertellen?

'Mevrouw Binette wacht op je', zei Derksen.

'Ja, meneer.'

'Hebben je ouders de mededeling van de directeur gelezen?'

'Ja.'

'En?'

Hec antwoordde niet, maar viste de schoolagenda uit zijn tas.

'Wat heeft je vader gezegd?' vroeg Derksen met een verstrooide blik op de handtekening.

'Eh... Niets... Dat ik mijn best moest doen.'

Derksen wachtte, alsof hij meer uitleg verwachtte.

'En wat zijn je plannen?' vroeg hij tenslotte.

'Ik zal doen wat mijn vader gezegd heeft', fluisterde Hec.

'Dat klinkt niet erg overtuigd!'

'Toch wel.'

Derksen werkte op zijn zenuwen. Het hele gesprek werkte op zijn zenuwen. De school en de directeur en al de rest... De toon die de man aansloeg! Alsof hij een peuter was die door een boze oom berispt werd.

'Eens kijken hoe mevrouw Binette je kan helpen', zei Derksen en hij liep met grote passen voor Hec uit naar haar kantoor.

Hec sleepte met zijn voeten, maar hij durfde toch niet te ver achter te blijven. Hij had zijn vader beloofd zijn best te doen.

Zijn vader had hem in bescherming genomen. Hij had hem verdedigd tegen Marino. Tegen de politie. Zelfs tegen de hele boze wereld waarin meisjes met rode mutsjes vermoord werden en in witte zakken in het kanaal werden gedumpt. Een wereld waarin rechercheurs een jongen als Hec niet geloofden, maar wel meneertje Fransen arresteerden, ook al had hij niets misdaan.

Hec volgde Jan Derksen gedwee tot in het kleine kantoor van de leerlingenbegeleidster. Vastbesloten zich door niets of niemand te laten intimideren. Net zoals zijn vader zich niet had laten bang maken tijdens de ruzie op het terras.

# 25.
# Maandagochtend
## BIJ MIEKE BINETTE

'De meeste mensen noemen me Mieke', zei mevrouw Binette. 'Doe jij dat dus ook maar.'

Ze was veel jonger dan Hec zich had voorgesteld. Slank, klein, met een modieus brilletje en kort, donker haar. Hij had haar voor een leerlinge uit het laatste jaar kunnen houden als hij haar elders was tegengekomen.

'Mieke dus', hernam ze. 'En jij bent Hec en zo te zien voel je je niet op je gemak.'

Hij antwoordde niet. Wat moest hij daarop zeggen? Wat verwachtte ze eigenlijk van hem? Hoe zou ze reageren als hij toegaf dat hij zich inderdaad ongemakkelijk voelde?

'Trek je jas maar uit en ga zitten', zei ze. 'Dat praat gemakkelijker.'

Het kantoortje was benepen klein. Een smal, hoog raam. Een kale muur met een poster van Rock Werchter. Een grijze, metalen kast met kleurige mappen. Een paar stoelen en een grauwe bureautafel met een telefoon en een sigaren-doosje vol potloden en balpennen. In het midden lag een roze map met een paar velletjes papier.

Hec hing zijn jas over de stoelleuning en ging zo zitten dat zijn knieën de tafel net niet raakten.

'Hoe was het weekend?' vroeg Mieke Binette.

Ze sprak op dezelfde zachte, moederlijke toon als de

politievrouw. Alsof ze uit dezelfde school kwamen, vond Hec. Hij haalde zijn schouders op.

'Was het niet tof? Wat is er misgegaan?' drong ze aan.

Hec vond dat ze een rolletje speelde en daarom antwoordde hij niet. Hij deed ook geen moeite om zijn misprijzen te verbergen. Ze begreep zijn afkeurende blik niet en schakelde over op een nog zachter toontje.

'Problemen gehad dus', fluisterde ze.

Haar wijsvinger gleed over de papieren in het mapje. Toen ze aan het eind kwam en blijkbaar niet gevonden had wat ze zocht, keek ze Hec met een gemaakte glimlach aan.

'Je zult me moeten uitleggen wat de problemen waren', zei ze. 'Anders kan ik je niet helpen.'

'Ik weet het niet...' mompelde Hec.

Zijn stugge houding maakte haar ongeduldig. Haar vingers bewogen nerveus over de papieren.

'Heb je dan helemaal niets leuks gedaan afgelopen weekend?' drong ze aan.

'Ik heb gewandeld met mijn ouders', antwoordde Hec, zo stil dat ze zich moest inspannen om hem te verstaan. 'En ik heb met speelgoedtreintjes gespeeld.'

Ze ademde traag uit. Het leek een zucht van opluchting.

'Dat is leuk', zei ze.

'Neen', antwoordde Hec droogjes. 'Dat is niet leuk.'

Mieke schoot in een nerveuze lach.

'Hec, Hec, Hec', zei ze. 'Jij bent er me eentje! Elke jongen vindt het leuk om met treintjes te spelen! Vertel op, wat voor trein heb je?'

'Ik heb geen trein. Ik mocht spelen met de treintjes van mijn buurman. Die heeft een hele kamer vol.'

Met een schok keek ze hem aan. Hij zag haar gezicht betrekken.

'Wacht even! Je woont in de Tulpenstraat. Treintjes? Een buurman? Ben jij...?'

Hec knikte. Een bijna niet waar te nemen beweging van zijn hoofd.

'Jij bent de jongen waar ze het op de televisie over hadden?' vroeg Mieke.

'Ja.'

Haar houding veranderde op de slag. Haar aangeleerde moedertoontje was verdwenen. Hec las in haar ogen zowel grote verbazing als oprecht medelijden.

'Jij hebt dat lijk in het kanaal gezien?'

Hec knikte.

Mieke hield haar hand voor haar mond. Hec boog zijn hoofd. Zijn handen lagen in zijn schoot met de vingers verstrengeld als doornige slierten van een braamstruik.

'Eerst dat lijk', fluisterde Mieke. 'En dan die man... Wat afschuwelijk!'

'Meneertje Fransen heeft niets misdaan!' spuwde Hec woedend uit.

'Nee?' hijgde ze.

Bij Hec brak een stuwdam. In een gulp kwam het eruit.

'Hij heeft me rustig laten spelen en daarna heeft hij me gevraagd waarom ik zo gespannen was. Daarover hebben we gepraat en daarna ben ik naar huis gegaan. Hij heeft niets gedaan van alles wat de mensen beweren.'

'Dat is goed voor je', fluisterde de jonge vrouw, maar Hec luisterde er niet naar, want de woorden bleven maar uit zijn mond stromen:

'En Sofie... Dat was een ongeluk. Als ze niet zo snel was weggelopen, zou ik haar geholpen hebben!'

'Sofie?'

'Ze liep zo snel dat ik haar niet kon volgen.'

Mieke begreep met moeite wat hij, struikelend over zijn woorden, uitbraakte. Hec staarde naar zijn vingers die zo stijf verwrongen waren dat hij ze onmogelijk uit elkaar kon trekken.

'De agenten bij de sluis vonden dat ik heel flink was geweest. Ik had hen goed geholpen toen we naar de zak met het lijk zochten. Maar de flikken van vannacht, die wilden niet naar me luisteren!'

'Hec!'

Miekes stem klonk hoog en schril. Hij keek eindelijk op. Haar handen trilden.

'Hec!' herhaalde ze. 'Waarom ben je naar school gekomen? Na alles wat je hebt meegemaakt... Waarom ben je niet thuisgebleven? Na al die schokken... Je moet al ijzersterk zijn om de helft daarvan te verwerken! En jij zit daar alsof... Alsof...'

Haar blik vloog de kamer rond, als hoopte ze in het grauwe, nauwe hok inspiratie te vinden.

Ze aarzelde. Plots besefte ze dat ze uit haar rol van nuchtere, objectieve hulpverlener was gevallen. Ze strekte haar schouders en ging kaarsrecht zitten.

'Morgen zullen we verder praten', zei ze. 'Eerst moet je tot rust komen. Intussen zal ik met je ouders praten. Als het nodig is, kan ik een arts aanbevelen om je te helpen.'

'Ik hoef niet naar huis', fluisterde Hec. 'Ik wil niet alleen thuiszitten.'

Een paar tellen had hij overwogen haar aanbod aan te nemen. Het leek verleidelijk de school te laten voor wat ze was en de hele dag op zijn kamer te lummelen. Maar dan zag hij de spookbeelden weer die hem vannacht getergd hadden en had hij geen zin meer om alleen te zijn en te staren naar het huis van Fransen, naar de speeltuin of naar het keukenraam van Simone.

'Het zou beter voor je zijn', drong Mieke aan.

'Neen, ik wil niet naar huis.'

'Omdat je bang bent?'

'Een beetje', gaf Hec toe.

'Dat begrijp ik, maar in de klas...'

Hec haalde zijn schouders op. Er tintelde plots weer leven in zijn vingers. Moeiteloos kwamen zijn handen van elkaar los. Mieke keek hem hoofdschuddend aan.

'Oké!' zei ze kordaat. 'Je wilt naar de klas... Ik loop met

je mee. En wat je uitbarstingen en zo betreft, daar praten we een volgende keer over. Akkoord?'

Hec voelde zich opgelucht. Wat zij 'zijn uitbarstingen en zo' noemde, had hij al bijna uit zijn brein gewist. Hij hoopte vurig dat Mieke Binette het gesprek niet alleen uitstelde, maar dat ze het helemaal zou vergeten. Dan kon hij inderdaad met een schone lei beginnen, precies zoals hij beloofd had.

Terwijl hij zij aan zij met de jonge vrouw naar de klas liep, kon hij met moeite een triomfantelijke grijns onderdrukken.

# 26.

# Maandagochtend

### IN DE KLAS

In de klas botste Hec op een muur van nieuwsgierige gezichten. Mieke Binette en de leraar fezelden in de gang. De leraar wierp schichtig een blik over zijn schouders. Hij voelde de spanning in zijn klas stijgen. Hij repte zich weer naar binnen en knipte nerveus met zijn vingers.

'Aandacht! Allemaal!' riep hij. 'Onze vriend Hec heeft in het weekend iets vreselijks meegemaakt.'

Op het schoolplein hadden talloze sappige verhalen de ronde gedaan. Brokjes van de televisie of uit de krant, gul aangedikt met roddel, verzinsels, leugens en achterklap. Zou de leraar nu de waarheid vertellen?

Hij stelde hen teleur.

'Dat Hec in deze omstandigheden toch naar school is gekomen, vinden we bijzonder dapper. Ik wil dat jullie hem waardig behandelen en niet pesten met vragen of gezwets. Is dat duidelijk?'

De leerlingen bewogen onrustig heen en weer. Waarom had de leraar het niet over datgene waar hun ouders zich zo ongerust over hadden gemaakt? De moordende pedofiel die Hec in zijn klauwen had gehad! Dáár wilden ze meer over horen.

De leraar staarde naar zijn lesboek alsof hij glad vergeten was op welk punt hij de les had onderbroken.

'Ik heb je op de televisie gezien', fluisterde Hecs buurman. 'Ik herkende je meteen. Cool.'

De leraar legde hem met een kwade blik het zwijgen op. Hij probeerde de draad van de les weer op te nemen, maar het lukte niet. Over enkele minuten begon de pauze. Hec voelde de spanning stijgen en zette zich schrap. Een lawine van praatjes en vragen zou hem om de oren razen. Een meute zou hem omsingelen, hijgend van opwinding, begerig om 'alles' te horen. Alles? Hij vroeg zich af hoe hij aan de marteling kon ontsnappen, maar toen de bel ging, had hij er zich bij neergelegd dat hij het volgende kwartier geen seconde rust zou kennen.

De leraar redde hem.

'Hec! Volg me', beval hij.

Een horde opgewonden leerlingen versperde gang en trap. Het kostte de leraar moeite zich een weg te banen door de nieuwsgierige bende. Tot Hecs grote ontgoocheling begeleidde hij hem naar het bureau van de directeur. Dat kon maar één ding betekenen. De rotzakken waren de bolwassing toch niet vergeten!

'Ga zitten, jongen', zei de directeur, veel vriendelijker dan Hec had durven dromen. 'Wil je iets drinken? Water? Limonade? Chocolademelk?'

Hec was helemaal in de war.

'Choco... Chocolademelk', stamelde hij.

De leraar leunde met zijn rug tegen de deur, alsof hij ongewenst bezoek wilde tegenhouden. De directeur schonk dikke, diepbruine chocolademelk in een glas.

'Ik wil niet dat de andere leerlingen je lastigvallen', zei hij. 'Na alles wat je meegemaakt hebt, kun je de drukte wel missen.'

'Ja, meneer.'

'Mooi. Je mag hier blijven tot de bel gaat. Voor de middagpauze heb ik een kamertje vrijgemaakt waar je ongestoord je boterhammen kunt opeten. Oké?'

'Ja, meneer.'

'Ik heb nog goed nieuws voor je. De politie heeft een halfuur geleden gebeld. Er is hoop dat het verdwenen meisje nog leeft.'

Hec vergat de chocolademelk.

'Hebben ze haar gevonden?' vroeg hij.

'Nog niet, maar ze schijnen een spoor te volgen. Ze houden er rekening mee dat ze in de war was en daarom niet terug naar haar moeder is gegaan.'

Hec rilde. In de war? Door de klap met het plankje? Was het dan toch zijn schuld dat ze weggelopen was van huis? Hij durfde het niet te vragen.

'In dat geval was het gelukkig niet haar lichaam dat je in het kanaal hebt zien drijven', zei de directeur.

Hec voelde zich opgelucht. Alsof het ene lijk minder akelig was dan het andere.

'En die buurman heeft haar dan ook niet vermoord', ging de directeur verder.

'Natuurlijk niet!' gromde Hec. 'Meneer Fransen is geen moordenaar.'

'Zijn aanhouding is bevestigd', zei de directeur. 'Dat heb ik op de radio gehoord. Het betekent dat er ernstige aanwijzingen zijn dat hij toch dingen gedaan heeft die niet door de beugel kunnen.'

'Hij heeft me niet aangeraakt', zei Hec.

Hoe vaak had hij dat zinnetje al uitgesproken?

'Ik ben blij dat te horen, jongen', reageerde de directeur, zonder te verhullen dat hij aan Hecs woorden twijfelde.

Hec staarde naar de zwarte en witte plavuizen. Hij hoorde het gejoel van de kinderen buiten. Hij wilde bij hen zijn. Hoe opdringerig en nieuwsgierig ze ook waren, bij hen zou hij zich meer op zijn gemak voelen dan onder de vragende blik van de directeur.

'Soms is het moeilijk om over zulke dingen te spreken', zei de directeur. 'Aan mij hoef je niets op te biechten. Ik ben maar de schooldirecteur. Beloof je dat je de volledige waarheid zult vertellen aan de politie?'

'Ik heb alles al verteld!' snauwde hij.

Hec las misprijzen in de ogen van de directeur. Hij houdt me voor schorremorrie, dacht hij. En dat is mijn eigen fout.

Meneertje Fransen had hem dat duidelijk gemaakt toen Hec met een gemeen straatwoord had willen uitdrukken wat hij over de directeur dacht.

'Alleen schorremorrie scheldt zo', had Fransen hem berispt.

Dat woord had Hec onthouden. *Schorremorrie.*

Ook al had Fransen daarna met een brede grijns verklaard dat schooldirecteurs moeilijk populair konden zijn.

'Niemand is dol op een baas die je niet mag tegenspreken', had hij gezegd.

'Waarom doet hij zo vals?' had Hec uitgeroepen. 'Hij lijkt vriendelijk, maar intussen zit hij te piekeren over welke straf hij me zal geven.'

'Tja', had meneertje Fransen geantwoord. 'Zo gaat het in het leven. Je moet leren daarmee om te gaan zonder je voortdurend kwaad te maken.'

De stem van de directeur onderbrak zijn gedachten.

'Wie de waarheid vertelt, hoeft niets of niemand te vrezen', zei hij. 'Altijd recht door zee, maak daar je lijfspreuk van.'

'Ja, meneer', antwoordde Hec gespeeld onderdanig.

'Denk er maar aan als de politie vanmiddag met je komt praten.'

Hec slikte, ook al was zijn mond kurkdroog. Nog een verhoor? Waarom? Terwijl hij alles toch al had opgebiecht?

De directeur zuchtte moedeloos toen de jongen zijn kamer uitliep. Hec was een harde. Onbereikbaar teruggetrokken in een onzichtbare schelp. Wat moest hij aan met een leerling die zijn hulp niet wilde aanvaarden?

# 27.

# Maandagmiddag

## BIJ RECHERCHEUR LEONIE

'De mevrouw van de politie is er', zei Mieke Binette. 'Je moeder kon niet vrij nemen. Ik zal in haar plaats bij het gesprek aanwezig zijn om je ruggensteun te geven.'

Hec klapte zijn lege brooddoos dicht. Voor hem stonden de chocolademelk en het sinaasappelsap waarop het schoolhoofd hem getrakteerd had.

Rechercheur Leonie sloot zorgvuldig de deur. Haar gedrag deed Hec eerder aan een verpleegster dan aan een politievrouw denken.

'Ik ben blij dat je tijd voor me hebt', zei ze.

'Heeft papa je gebeld?' vroeg Hec.

'Ja. Hij steunt je door dik en dun. Dat weet je toch?'

'Ja...'

Ze sloeg een schriftje open en legde het voor zich op tafel. Hec zag een rij woorden, netjes onder elkaar met telkens een pijltje ervoor.

'Ik wil nog eens je hele verhaal horen', zei ze. 'Herinner je je nog waarom Sofie naar het speelpleintje was gekomen?'

'Omdat haar moeder het haar gezegd had. Die wist dat er een speelplein was. Ze wonen nog niet zo lang in onze wijk.'

'Mm.'

Ze schreef het antwoord op en ging verder met het volgende punt op de lijst. Het waren dezelfde vragen als bij het eerste gesprek. Hec gaf dezelfde antwoorden.

'Toen je terugkwam van het centrumplein, heb je de tuindeur van meneertje Fransen opengemaakt', zei de politievrouw toen. 'Waarom heb je dat gedaan?'

Hec aarzelde. Leonie voelde dat er iets was. Ze vermeed angstvallig hem aan te kijken.

'Omdat ik ook in de andere tuinen gekeken heb', antwoordde hij.

'Waarom?'

'Ik zocht Sofie', bekende hij.

'Waarom? Je hebt me toch verteld dat ze naar het plein gelopen is?'

Hec bloosde. Zijn ogen gingen van de politievrouw naar Mieke Binette. Vragende gezichten. Borende blikken. Hun stilzwijgen gaf hem de kriebels.

'Of was je een detail vergeten te vertellen?' vroeg Leonie.

Hij knikte en begon met horten en stoten over de vlierstruik en de wrakke deur en de man met de afgeknipte jeans.

'Weet je hoe hij heet?' vroeg de politievrouw.

'Neen. Ik ken wel zijn adres. Tulpenstraat nummer zeven.'

'Die man is de oom van Sofie', zei Leonie. 'En voor je verbeelding op hol slaat, mijn collega heeft met hem gesproken. Hij was die woensdagmiddag niet thuis.'

'Waarom heeft Marino een steen door het venster van Fransen gegooid?' vroeg Hec.

'Opgekropte woede? Frustratie? Dwaze boosheid? Wie zal het zeggen?' antwoordde Leonie.

Hec voelde een steek in zijn hart. Het klonk alsof ze het over zijn eigen woeste uitbarstingen had.

'Ik had aan de politie willen melden dat hij een van de daders was, maar ze wilden niet naar me luisteren', klaagde hij.

Leonie zuchtte.

'Die mensen hebben het soms zo druk', zei ze vergoelijkend. 'Ik heb het genoteerd. Ik zal vragen dat ze het alsnog onderzoeken.'

Hec drong niet aan.

'Vanavond, wanneer je moeder thuis is, wil ik met je door het steegje lopen', zei Leonie. 'Dan moet je alle deuren en de hekjes aanwijzen die je opengemaakt hebt. Denk je dat je dat kunt?'

Hec zag er het nut niet van in, maar hij knikte braaf. De rechercheur klapte het schrift dicht.

'Mooi. Tot straks dan.'

'Heb je... Is Sofie... Leeft ze nog? Echt?' vroeg Hec.

'Waarschijnlijk... We zijn er haast zeker van.'

Hec voelde zijn hart wild tekeergaan. Leonie legde een hand op zijn schouder.

'Is het mijn schuld?' vroeg hij.

'Dat ze verdwenen is?'

'Ja.'

'Neen. Ik denk niet dat het jouw schuld is. Ze was waarschijnlijk al voor het ongeluk in de war. We proberen in kaart te brengen wat ze die middag allemaal gedaan heeft.'

We zullen haar vinden, jongen. Met jouw hulp brengen we haar veilig thuis, oké?'

# 28.
# Maandagavond
## IN DE TULPENSTRAAT

Hec mocht niet alleen naar huis. Coördinator Jan Derksen nam hem mee in zijn auto. Zo had de directeur het aan de telefoon afgesproken met Hecs moeder.

'We mogen geen risico nemen', had hij gezegd. Hec begreep niet wat hij daarmee bedoelde. Het enige gevaar, vond hij, kwam van Marino, maar over hem was er geen woord meer gevallen. Had de directeur weet van nog een ander risico? Of was hij overdreven bezorgd?

Derksen zat nors achter het stuur en opende pas zijn mond toen hij in de Tulpenstraat spookachtige figuren zag opduiken uit het huis van meneertje Fransen. De mannen waren van top tot teen in witte plastieken pakken gehuld.

'De technische recherche is nog steeds op zoek naar sporen', mompelde de leraar.

'Welke sporen?' vroeg Hec.

'Nou, dingen die achterblijven op de plaats van een misdaad. Haartjes. Speeksel. DNA.'

'Wat is DNA?'

'Het kernzuur in je chromosomen. De drager van je erfelijke eigenschappen. Iedere mens heeft zijn eigen DNA, net zoals iedereen eigen vingerafdrukken heeft. Aan de hand van DNA kunnen de speurders uitmaken wie er zoal bij de verdachte op bezoek is geweest.'

'Zullen ze mijn DNA er ook vinden?'

'Waarschijnlijk wel, vermits je in dat huis geweest bent', mompelde de leraar.

'Alleen om met de treintjes te spelen.'

'Ja-a.'

De leraar stopte op het grindpad voor Hecs huis en haalde de fiets uit de koffer. Daarna wachtte hij tot Hec binnen was.

'In huis ben je veilig', zei hij. 'Je moeder zal snel thuiskomen.'

Hec gromde iets onduidelijks en gooide de deur met een te luide knal dicht.

Zodra Derksen vertrokken was, haastte hij zich weer naar buiten om te kijken wat de DNA-speurders in hun zakjes en doosjes en plastic kistjes hadden gestopt. Voor hij er erg in had, kreeg hij het gezelschap van Simone van nummer 18.

'Je bent naar school geweest', zei ze en ze slaagde erin het als een verwijt te laten klinken.

'Waarom zou ik niet?' gromde Hec.

'De politie is al uren bezig!'

Het leek een triomfkreet. Alsof het zoekwerk van de speurders bevestigde dat meneertje Fransen inderdaad kinderen had aangerand. En dat Hec een van zijn slachtoffers was.

'Ze zoeken DNA', zei Hec en hij hoopte dat de vrouw niet wist wat dat was.

'En vingerafdrukken!' voegde ze er fel aan toe. 'Waarschijnlijk hebben ze ook die van jou gevonden.'

Hec haalde zijn schouders op. Wat moesten ze met zijn vingerafdrukken? Hij had niets misdaan.

'Ik heb veel gelezen over venten zoals die Fransen', dreinde Simone. 'Mannen zonder een geweten. Ze lokken onschuldige slachtoffertjes met speelgoed en snoepjes. Zodra ze hun prooi binnen hebben, slaan ze toe.'

'Meneertje Fransen heeft niets gedaan!' riep Hec wanhopig, maar Simone luisterde niet.

'Ze zien eruit als heel gewone, normale mensen', ratelde ze verder. 'Netjes in de kleren. Niets verraadt wat voor een viespeuken het zijn. Het lijken fijne meneertjes, maar in hun binnenste zijn het smeerlappen. Als ze zich bedreigd voelen, draaien ze er hun hand niet voor om om hun slachtoffers beestachtig te vermoorden.'

Hec kon het niet langer aanhoren en rende terug naar zijn kamer. Simone klampte een agent aan en deed met grote gebaren nogmaals haar verhaal. Haar armen zwaaiden als molenwieken. De agent keek verveeld, maar was niet in staat haar woordenvloed te stoppen.

# 29.
# Maandagavond
### OP HET PAADJE

Toen Hec met zijn moeder en de rechercheur op het speel-pleintje stond, leek het alsof er in zijn hoofd een overbelichte film werd afgespeeld.

Hij zag weer het plankje vliegen. Alsof hij een toeschou-wer was, zag hij zichzelf verlamd raken terwijl Sofie naar haar hoofd greep. Hij bood aan haar te helpen en zij zette het op een lopen.

Net als op die woensdagmiddag zocht hij wanhopig naar hulp. Simone bespiedde hem vanachter haar keukenraam. Hij raakte in paniek. Toen hij zich omdraaide, was Sofie verdwenen. Hij holde naar het paadje.

De politievrouw legde alles vast op een schets. Waar de speeltuigen stonden. Waar het ongeluk gebeurd was. Stippellijnen voor de weg die het meisje gevolgd had en streepjes voor de weg die Hec had genomen.

'Je stond hier en je zag haar over het paadje lopen', zei ze.

'Ja. Ik zag haar mutsje... Daar...'

Leonie wandelde voor hem uit tussen het groen. Hec wachtte tot ze bij de vlierboom was.

'Daar!' riep hij. 'Daar is ze verdwenen!'

Leonie wenkte dat Hec bij haar moest komen. Zijn moe-der bleef op het speelpleintje.

Het licht in Hecs hoofd was niet meer zo helder. Hij was boos geweest omdat Sofie niet had willen luisteren. En bang ook, omdat hij plots had bedacht dat ze er misschien erger aan toe was dan ze zelf besefte. Had hij niet gehoord van een man die na een botsing schijnbaar ongedeerd uit zijn auto stapte, maar even later in elkaar stuikte en stierf omdat zijn hersenen door de schok beschadigd waren? Hij probeerde de gedachten die destijds door zijn hoofd gespookt hadden te wissen. Hij wilde zich alleen nog voor de geest roepen waar hij het rode mutsje laatst had gezien.

'Ze was ongeveer hier...' gebaarde hij.

De politievrouw bukte zich en liep onder de overhangende takken door. Ineens, als was het een goocheltruc, verdween ze uit het gezicht.

'Hé!' deed Hec verbaasd.

De vrouw kwam weer tevoorschijn.

'Hier is ze verdwenen', zei hij. 'Waar jij staat. Precies op deze plek.'

'Loop jij eens onder de takken door', stelde Leonie voor.

Hec verdween op zijn beurt achter het groen.

'Heb je van je leven', zuchtte de politievrouw. 'Een toverscherm!'

Ze ging op haar hurken zitten om even groot te zijn als Hec en vroeg hem naar het centrumplein te lopen. Ze kreeg hem niet meer te zien. Toen hij weer bij haar kwam, keek ze zorgelijk.

'Probeer je nu te herinneren aan welke deurtjes je gemorreld hebt terwijl je weer naar huis liep.'

Hec deed zijn best. Leonie vinkte deuren en hekjes af op haar plattegrond. De laatste was die van meneertje Fransen. Ze stond open. Iemand had er met grote, scheve letters *VIESPUEK* op geschilderd. Met de 'e' op de verkeerde plaats.

Hec schrok toen hij zag hoe de tuin toegetakeld was. Vandalen hadden de steundraden van de fruitboompjes doorgeknipt. Her en der lagen afgebroken takken. Glasscherven glinsterden op het gazon. De grote glazen deur was stukgeslagen en voorlopig hersteld met een vel plastic.

Leonie schudde haar hoofd.

'Hooligans', mompelde ze. 'Ze maken het allemaal nog erger.'

'Je weet wie het gedaan heeft', gromde Hec. 'Waarom houd je Marino niet aan?'

'Zo eenvoudig gaat het niet, jongen.'

'Je hebt meneertje Fransen wél aangehouden!'

'Dat is anders...' zei Leonie. 'Breek je daar nu even het hoofd niet over. Je bent moe.'

En voor hij weer begon te mopperen, wendde ze zich tot zijn moeder.

'We stoppen ermee voor vanavond. Hec heeft zich prachtig gedragen. De reconstructie van een misdaad is emotioneel heel zwaar. Onderschat het niet. Je mag trots zijn op je zoon, het is een sterke vent!'

Hec straalde toen hij de bewonderende blikken van zijn moeder zag.

'Waar is het meisje?' vroeg die.

Leonie antwoordde niet.

'Er is een probleem. Ik veronderstelde dat ze alleen maar uit Hecs gezichtsveld kon verdwenen zijn door zich in een tuin te verschuilen. Nu weet ik dat ze ook op het paadje zelf uit het gezicht kon verdwijnen. Waarom heeft Hec haar dan niet meer op het plein gezien? Waar heeft ze zich verstopt? Dat moeten we nu grondig onderzoeken.'

Ze zuchtte vermoeid.

'Je bent er nog steeds van overtuigd dat ze leeft?' vroeg Hecs moeder.

'O ja.'

'Hoe kun je dat zo zeker weten?' durfde Hec te vragen.

'Dat is voorlopig nog geheim.'

Hec trok een pruillip, maar meer wilde de politievrouw niet lossen.

# 30.
# Maandagavond

Kort na het bezoek van de rechercheur had Hecs moeder lang met zijn vader gebeld.

'Ik hoor dat je een flinke vent geweest bent', had hij gezegd toen zijn zoon aan de telefoon kwam. 'Proficiat.'

'Bedankt, papa.'

Het deed hem goed die woorden zomaar te kunnen uitspreken.

'Probeer nu maar eens flink uit te slapen. Je hebt een vreselijke dag achter de rug.'

'Ja, papa.'

Slapen? Hec had het geprobeerd, maar na een uur had hij nog geen oog dichtgedaan. Honderd en een gedachten wervelden door zijn hoofd. Honderd en een gedachten en de doodse stilte in huis.

Hij ging voor het raam staan. Motregen hulde de straatlampen in een gordijn van grijze droefheid.

Een man en een vrouw sjokten voorbij, elk onder hun paraplu. Even later dook een man op met een plunjezak op zijn schouder. Bij de ingang van het speelpleintje keek hij om zich heen alsof hij de weg zocht.

Hij liep het speelplein op. Ineens besefte Geo wie hij was. Sofies oom! Waarom liep hij 's avonds laat in de motregen met een zware zak op zijn schouder?

Vliegensvlug trok Hec kleren aan over zijn pyjama. Hij griste in de vlucht een zaklamp mee en haastte zich naar het speelplein. Hij kwam nog net op tijd om te zien hoe de schim van de man opgeslokt werd door de duisternis van het paadje.

Met kloppend hart waagde hij zich in de donkere, druipende tunnel. Hij zakte tot aan zijn enkels in de modder. Regenwater druppelde van de overhangende takken en doorweekte zijn hemd. Als in trance zocht hij naar een teken van de man met de zak.

De wrakkige tuindeur hing wijd open. Achter een helverlicht raam zag hij Sofies oom en een vrouw. De plunjezak lag tussen hen in op tafel. De man trok er een lang, donker voorwerp uit. De vrouw voelde eraan en de man propte het weer in de zak.

Hec wilde net weggaan, toen hij een geluid achter zich hoorde. Iemand wandelde over het paadje. Hij verstopte zich achter de haag in de tuin. De voorbijganger merkte hem niet op. Hec wachtte tot hij ver genoeg was, maar toen hij uit zijn schuilhoek wilde komen, ging de achterdeur van het huis open.

Een rechthoek van licht schoot tot halverwege in de tuin. Hec hield zijn adem in. Sofies oom kwam naar buiten met de zak. Hij leek recht naar Hec te komen. De jongen voelde zijn hart bonken. De man stopte bij een gammel hok met een deur die half uit haar hengsels hing. Hij gooide de zak naar binnen, klopte het vuil van zijn handen en wandelde traag naar het huis.

Hec haalde diep adem. Hij wachtte tot hij de deur in het slot hoorde vallen. Sofies oom sloot af voor de nacht. Tegelijkertijd schoof zijn vrouw de overgordijnen dicht. Ineens was het doodstil en aardedonker in de tuin.

Hec sloop naar het paadje, maar bedacht zich. Hij wilde per se weten welke vracht die kerel door de nacht had gezeuld.

De zaklamp durfde hij niet aan te klikken, daarom zocht

hij op de tast naar de zak. Hij vond hem moeiteloos.

Hij deed de losse flap open. Het plastic dat de inhoud extra beschermde, knisperde onder zijn handen. Uit de zak steeg een geur op die hij niet herkende. Met één vinger voelde hij aan de inhoud. Zacht als een knuffeltje. Hij nam het ding vast en trok het voorzichtig uit de zak.

Aan de ene kant was het ding zacht en harig, aan de andere kant glad en stijf. Hec waagde het gedurende een seconde de zaklamp aan te knippen om te zien welk vreemd voorwerp hij in zijn hand hield.

Hij schrok zo hard dat hij een angstkreet moest onderdrukken.

Een dier!

Neen. Geen dier. Een pels.

Sofies oom had een zak vol dierenhuiden in het hokje verstopt!

Hec legde het pelsje vol walging terug en holde door modder en plassen naar het speelpleintje. Tegen de tijd dat hij daar aankwam, was hij ervan overtuigd dat Sofies oom de kostbare pelzen gestolen had.

De man was ongetwijfeld een kompaan van Marino, een hooligan en een dief.

Een boef, slecht genoeg om hem ervan te verdenken dat hij zijn nichtje ontvoerd en misschien wel vermoord had!

# 31.
# Maandagnacht
### BIJ MENEERTJE FRANSEN

De wereld was niet eerlijk, besloot Hec. Meneertje Fransen zat onschuldig in de cel en schurken zoals Marino en de oom van de arme Sofie mochten vrij rondlopen.

Hij stond onder het afdakje van de klimtoren op het speelplein. De schommels en het klimrek leken op verstarde monsters, de huizen eromheen op reusachtige, donkere grafmonumenten. Zelfs bij Simone was het stil.

En bij Fransen...

Waarom hield de politie koppig vol dat meneertje kinderen aangerand had?

Welke kinderen? Hec had nooit een mens het huis zien binnengaan of verlaten, kind noch volwassene.

Hoe kwamen ze erbij hem een brutale aanrander te noemen, alleen maar omdat de dwaze Simone dat beweerde?

Voor Hec was Fransen heel vriendelijk geweest. Afstandelijk, maar lief en begrijpend.

Hoe meer hij naar het huis staarde, hoe vaster zijn overtuiging dat het meneertje geen misdadiger kon zijn.

Maar waarom bleef hij dan aangehouden?

Hadden die mannen in hun witte pakken dan toch een bewijs gevonden? Had het te maken met het DNA waarover Jan Derksen gesproken had?

Hec hield het niet langer vol. De drang die hem ertoe had aangezet Sofies oom te volgen, kreeg hem weer in zijn greep. Hij moest meer te weten komen. En dat kon alleen als hij zelf op onderzoek uit zou gaan.

Ergens blafte een hond, het klonk zo ver weg dat het niet voor hem kon bedoeld zijn. Hec voelde zich onzichtbaar, de koning van de nacht.

De tuindeur ging als vanzelf open. Binnendringen via het grote schuifraam was kinderspel. Hij hoefde alleen maar de plasticfolie op te heffen waar de vandalen het glas gebroken hadden.

In het licht van zijn zaklamp zag de woonkamer er nog net uit zoals hij het zich herinnerde van zijn vorige bezoek, behalve dat er nu glas onder zijn voeten knarste.

Hij knipte de lamp uit en luisterde. Doodse stilte. Hoe heette het ook weer in het boek dat hij voor Nederlands had moeten lezen?

De stilte van het graf.

Op de eerste verdieping waren er drie deuren. Rechts was de kamer met de treintjes, die kende hij. Rechtdoor vermoedde hij de slaapkamer. En links?

De deur ging gemakkelijk open. Bij Fransen schuurden de scharnieren niet en knarsten er geen sloten.

De kamer bleek een bibliotheek te zijn. Hec schrok van de rommel. Boeken, strips, videobanden en dvd's lagen schots en scheef in de rekken. Bergen boeken en dvd's waren als afval op de grond gesmeten. Wiens werk was dat? Van de politie? Was het dát wat ze deden bij een huiszoeking?

De meeste boeken gingen over treinen. Echte, maar ook modellen. Bij de strips voelde Hec zich beter thuis. Bekende namen. De titels op de videobanden en dvd's kende hij niet, maar de afbeeldingen waren duidelijk genoeg. Het ging om heel normale films, niet de prikkelprenten die zijn vader weleens meebracht en zorgvuldig voor hem verborgen probeerde te houden.

Een scherp gekraak joeg Hec de stuipen op het lijf. Hij

knipte de zaklamp uit. Het geluid kwam van beneden.

Krak! Krak!

Hij plaste bijna in zijn broek toen door de traphal een lichtstraal naar boven schoot. Hij hoorde gefluister. Twee verschillende stemmen.

In het beetje licht dat door het raam drong, vond hij achter het bureau een leren stoel met hoge rug. Hij rolde hem naar de verste hoek van de kamer en ging erachter zitten. Geen seconde te vroeg. De indringers lieten de lichtbundels van hun zaklampen door de kamer gaan.

'Boeken', fluisterde de ene.

'Rommel', meende de andere.

'Misschien zit er iets lekkers tussen de dvd's?'

'Verspil je tijd niet.'

'Wacht.'

Hecs hart bonkte wild. Hij had zijn knieën opgetrokken en klemde zijn armen om zijn benen. Zijn hoofd drukte hij tegen zijn dijen. Hij voelde zijn hete adem door zijn broekspijpen heen. Zijn hele lichaam trilde. Hij spande al zijn spieren om zichzelf onder controle te houden.

Een inbreker rommelde tussen de dvd's. Plastic doosjes kletterden op de vloer.

'Laat dat! Het is toch niets waard', siste zijn kompaan.

'Mm.'

De boeven trokken naar een andere kamer. Hec kon niet uitmaken welke. Die met de treintjes of de kamer aan de voorkant?

Zijn hart ging wild tekeer. In zijn hoofd klonk zijn ademhaling zo luid dat hij zich niet kon voorstellen dat de boeven hem niet hoorden hijgen.

In de voorste kamer viel iets in scherven.

'Idioot!' riep een boze stem. 'Straks maak je de hele straat wakker!'

De twee deden geen moeite meer om te fluisteren.

'Wie zou ons horen?' foeterde de onvoorzichtige inbreker.

'De buren. Wie anders?'

'Die slapen.'

'Kom nou, Marko.'

Hec kon de spanning niet meer de baas. Hij snakte wanhopig naar adem. Een rochelend geluid ontsnapte uit zijn keel. Zo luid dat de mannen het wel gehoord moesten hebben als ze het niet zo druk hadden gehad met het doorzoeken van Fransens slaapkamer.

Veel vonden ze blijkbaar niet.

'Met die troep kan ik niets aanvangen. Laat maar liggen. Ik kijk in de andere kamer.'

Voetstappen. Hec vocht tegen zijn zenuwen. Hij hield zijn adem in en kneep zijn ogen zo hard dicht dat hij sterretjes zag. De mannen gingen naar de kamer met de treinen.

'Wat is dat allemaal?'

'Speelgoed. Bah...'

'Daar! Een computer. Die is een mooie duit waard.'

Een van de inbrekers vloekte.

'De harde schijf is weg!'

'Die heeft de politie meegenomen! Verdomd!'

Hec hoorde het tweetal de trap afstommelen. Een hele tijd waren ze bezig op het gelijkvloers. Toen viel de voordeur met een bons dicht.

Hij wachtte tot hij er absoluut zeker van was dat hij alleen was. Zijn hartslag was weer normaal, maar ging pijlsnel omhoog toen hij de trap afdaalde. In de woonkamer waagde hij het even zijn zaklamp aan te knippen. In de kast waar het dure televisietoestel had gestaan, gaapte een grote, lege opening.

Hec repte zich in het donker naar buiten. Onderweg schuurde zijn elleboog langs een tafeltje. Met een oorverdovende dreun viel het omver. Een hard voorwerp kletterde op de vloer. Hij sprong naar de deur, maar voor hij naar buiten vluchtte, richtte hij toch nog een lichtstraal op de vloer. Hij had een telefoontoestel laten vallen.

Een te gek idee.

Hij hield de hoorn tegen zijn oor. Een zoemtoon. Hij toetste het alarmnummer in. Seconden later werd al opgenomen.

'Politie', zei een stem.

'Inbraak bij meneertje Fransen in de Tulpenstraat', fluisterde Hec.

Zonder in te haken rende hij weg.

Hij dook in bed en kroop helemaal onder de dekens. Hij was doornat en ijskoud. Zijn hele lichaam beefde en trilde. Zijn adem schuurde in zijn keel.

Wat had hij gedaan?

Wat als de boeven hem hadden betrapt?

Wat als...

De blauwe schijn van een zwaailicht deed hem verstijven.

'Mijn DNA!' schoot het door zijn hoofd. 'Mijn DNA en mijn vingerafdrukken zitten op de telefoon!'

Hij barstte in hysterische snikken uit.

# 32.

# Dinsdagochtend

## BIJ HEC THUIS

Rechercheur Erik was zo boos dat zijn gezicht vuurrood aanliep.

De agenten die voor dag en dauw de inbraak bij meneertje Fransen onderzochten, hadden geen DNA of vingerafdrukken nodig gehad om te ontdekken wie het noodnummer gebeld had. Bij de openstaande achterdeur hadden ze in de modder een spoor van sportschoenen gevonden. Toen ze Hecs moeder kwamen vragen of zij die nacht iets had gehoord of gezien, viel hun oog op de modderschoenen van de jongen die boterhammen zat te eten aan de keukentafel.

Hec had onmiddellijk bekend.

'Heb ik misschien nog niet genoeg werk dat ik me ook nog met de strapatsen van een lummel moet bezighouden!' tierde de rechercheur toen hij een paar uur later Hec kwam verhoren.

De jongen kromp ineen.

'Is mijn leven nog niet moeilijk genoeg zonder dat een etter als jij zich ermee gaat bemoeien?'

Hec staarde zwijgend naar zijn schoenen.

'Wat bezielde je?' raasde de politieman. 'Hoe haal je het in je hoofd? Wat zocht je in dat huis?'

Hec schokte met zijn schouders.

'Dat is geen antwoord.'

'Ik wilde iets weten', fluisterde hij.

'Leg dat dan maar eens uit, want ik begrijp het niet. Wat wilde je aan de weet komen, in het holst van de nacht, in het huis van een verdachte misdadiger?'

Hec voelde zijn nekhaar overeind komen. Verdachte misdadiger?

'Ik wilde weten waarom jullie Fransen verdenken van iets dat hij niet gedaan heeft!' antwoordde hij fel.

'Dat zijn je zaken niet!' riep de rechercheur.

Hec staarde weer naar zijn schoenen. Rechercheur Erik haalde diep adem. Hij was kwaad omdat hij zich zo had laten gaan tegenover een kind. Zowat alle regels had hij met de voeten getreden. Door Hecs schuld.

'Kom nou, wat zocht je?' vroeg hij op een meer bedaarde toon.

'De reden waarom... Iets waarvoor...'

Hec zweeg en zocht naar de juiste woorden. Hij wist precies waarom hij in het holst van de nacht in het huis was binnengegaan, maar hoe moest hij het uitdrukken? Hij keek naar Erik. Zijn gezicht had weer een normale kleur. Hij probeerde zelfs vriendelijk te kijken.

'Meneertje Fransen heeft me niets misdaan. Waarom zit hij dan nog altijd in de gevangenis?' vroeg de jongen.

'Ging je daarom in zijn huis snuffelen? Eerlijk?'

'Ja.'

'Besefte je dan niet hoe gevaarlijk dat was?'

'Ja. Neen. Ik heb er niet aan gedacht, tot...'

'Je hebt geluk gehad. Een inbreker die zich betrapt weet, kan heel gewelddadig worden.'

'Ja.'

Hecs ogen zochten steun bij zijn moeder. Ze veegde haar tranen weg.

'De gerechtelijke dienst heeft het huis grondig doorzocht', zei rechercheur Erik. 'Alles wat als bewijs kan dienen, is meegenomen en netjes geklasseerd.'

'Ze hebben de hele boel overhoopgehaald!' protesteerde Hec.

'Ja, jongen, wat wil je? We moeten snel werken en dat kan soms wanorde veroorzaken.'

'Meneertje Fransen zal heel ongelukkig zijn. Hij houdt van orde.'

De politieman sloeg ongedurig met beide handen op zijn dijen.

'Waarom verdedig je hem door dik en dun?' vroeg hij.

'Omdat hij onschuldig is.'

'Dat zal het gerecht wel uitmaken. Hij zit niet toevallig in de cel. Er zijn getuigenissen. Er is materiaal in beslag genomen. Dat wordt nu allemaal onderzocht.'

Hec schudde met zijn hoofd. De rechercheur balde zijn vuisten om niet opnieuw zijn geduld te verliezen.

'Jongen, toch! Hij heeft jou toch ook naar binnen gelokt!' riep hij.

'Maar hij heeft me niet eens aangeraakt!'

'Dat klopt. Dat heb je al tijdens het eerste verhoor gezegd.'

'Wel dan? Dat is toch ook een getuigenis? Waarom houdt de rechter daar dan geen rekening mee?'

Hec keek de man doordringend aan. Er liep een rilling over zijn rug. De rechercheur had hem nooit geloofd! Zijn getuigenis telde niet!

Wilde woede welde in hem op. De smeerlap had nooit rekening willen houden met wat hij hem verteld had! Alles wat hij over meneertje Fransen had getuigd, werd als leugens beschouwd!

'Mama?' vroeg hij.

'Ach, Hec, toch...' kreunde ze.

'Fransen is onschuldig', zei Hec. 'Dat weet je toch?'

Ze snoot luid haar neus.

'Ik weet het niet, Hec... Als er getuigen zijn...' snotterde ze.

'Papa gelooft me wel', gromde Hec verbeten. 'Hij heeft

het zelf gezegd. En hij heeft Simone in haar gezicht gegooid dat ze een roddeltante is! Het is haar schuld dat meneertje Fransen in de cel zit!'

'Genoeg!' beval de rechercheur.

Hecs moeder snoot luid haar neus.

'Ik wil naar buiten', zei de jongen.

'Vertel eerst wat je van de inbrekers gezien hebt', zei de rechercheur.

'Niets. Ik zat achter een stoel.'

'Heb je hen horen praten?'

'Ja.'

'Waarover hadden ze het?'

'Dat ze niets vonden wat de moeite waard was.'

'Ja?'

'En dan heeft Marko toch wat dvd's meegenomen.'

Rechercheur Erik staarde hem met open mond aan.

'Wíé nam de dvd's mee?' vroeg hij met heel veel nadruk.

'Een man die Marko heet.'

'De kerel die in jullie straat woont?'

'Dat is Marino. Ik weet niet wie Marko is.'

Hec genoot van de verbazing op het gezicht van de rechercheur en van de ontzetting die zijn moeder toonde.

'Dat laat ik onmiddellijk onderzoeken', zei de rechercheur. 'En nu ga ik met jou naar het huis en je laat me precies zien wat je daar zoal uitgespookt hebt.'

'Ik moet naar school', sputterde Hec tegen, want hij had helemaal geen zin om nog uren in het gezelschap van de boze flik door te brengen.

'Vandaag hoef je niet naar school.'

'Ik wil naar school!'

Zijn moeder barstte plots in een hevige huilbui uit. Hec voelde vreemd genoeg geen medelijden. Hij nam het haar diep kwalijk dat ze aan zijn eerlijkheid twijfelde. Net nu hij voor een keertje eens helemaal oprecht was geweest.

'Ik bel naar je school dat je ons moet helpen. Dat gaat

voor', zei de rechercheur. 'En houd op met zo tegendraads te doen. Zie je niet dat je je moeder verdriet aandoet?'

'Ja', zei Hec.

Hij zei het zo nors als hij maar kon, om duidelijk te laten voelen dat het hem niet kon schelen en dat ze zijn vriendschap niet verdiende.

# 33.
## Dinsdagochtend
### BIJ MENEERTJE FRANSEN

Tot Hecs grote opluchting kwam rechercheur Leonie haar collega aflossen.

'Jij liever dan ik', hoorde hij rechercheur Erik mopperen. 'Zo een tegendraads kereltje. Ik voelde mijn handen jeuken.'

'Ben jij dan nooit een puber geweest?' gromde ze terug.

Zodra Erik vertrokken was, nam ze Hec mee naar het huis aan de overkant. De flik die de opengebroken deur bewaakte, begroette hen eerbiedig.

'Begin bij het begin', stelde Leonie voor. 'Neem je tijd. Alles kan belangrijk zijn. Dat weet je intussen wel. Je bent bijna een expert.'

Hec voelde zich op zijn gemak bij haar. Ze sprak hem niet tegen, ze maakte zich niet kwaad, ze luisterde geduldig. Toen hij voordeed hoe hij zich achter de stoel had verstopt, moest ze zelfs lachen.

'Je zit daar net als een kuiken in een ei!' riep ze.

'Maar ik was wel bang', protesteerde Hec. 'Ik bibberde van de schrik!'

'Wie zal het je kwalijk nemen? Met twee boeven vlakbij. Ik zou even bang geweest zijn als jij.'

Hec kon het zich nauwelijks voorstellen. Een politievrouw die bang was van een paar inbrekers? Was ze dan niet gewapend, voor het geval...

'Je hebt te veel misdaadfilms gezien', zei ze. 'Daar knallen de flikken op alles wat in het donker beweegt. Zou jij durven te schieten op iemand die je niet kunt zien?'

'Als hij me bedreigt', antwoordde Hec met veel overtuiging.

'Ik vrees dat het dan te laat is. Ik zou het in elk geval niet willen meemaken...'

Beneden lag de telefoon nog steeds op de vloer.

'Wat bezielde je om van hieruit te bellen?' vroeg Leonie.

'Ik weet het niet.'

'Je hebt nog maar net doodsangsten uitgestaan en plots ga je doodgemoedereerd het alarmnummer intoetsen?'

'De boeven waren toch weg.'

'Dan nog. Ik zou me zo snel mogelijk uit de voeten gemaakt hebben en pas daarna zou ik gebeld hebben. Van op een veilige plek.'

Het wantrouwen stak bij Hec weer de kop op.

'Geloof je me ook niet?'

'Jawel. Het staat immers als een paal boven water dat je met dit toestel gebeld hebt. Ik probeer alleen te begrijpen wat er in je hoofd omging toen je het deed.'

'Dat weet ik niet. Ik deed het zomaar.'

'Doe je niet iets te vaak "zomaar" allerlei dingen? Zonder erbij na te denken?'

'Misschien. Ik weet het niet.'

'Dat kan gevaarlijk zijn. Besef je dat?'

'Soms.'

Ze verloor haar geduld.

'Verdomme, Hec, waarom speel je toch altijd de harde bink?' riep ze. 'Wat wil je bewijzen? Dat je volwassen bent?'

'Ik weet het niet.'

'Daar heb je het weer! Ik begin te snappen waarom de leerkrachten problemen met je hebben.'

Hec klapte dicht. Hoofd naar beneden, ogen strak op het tapijt gericht. De scherven, de brokstukken en de opgedroogde moddersporen.

'Nu ben je boos op me', plaagde Leonie. 'Nu speel je een kleine, kwade jongen.'

'Zie je wel!' barstte Hec uit. 'Jij gelooft me ook al niet meer!'

'Ook al? Blijkbaar gelooft niemand je nog. Hoe zou dat komen? Heb je er al aan gedacht dat je het iedereen behoorlijk moeilijk maakt om je te geloven? Grommen en snauwen en ontwijkende antwoorden geven op eenvoudige vragen? Is dat de goede manier om mensen ervan te overtuigen dat je hun vertrouwen waard bent?'

Hec wist dat ze gelijk had, maar toegeven kon hij het niet. Hij veranderde snel van onderwerp.

'Waarom zit meneertje Fransen nog altijd in de gevangenis?'

'Dat heeft de onderzoeksrechter beslist.'

'Waarom?'

'Omdat er bewijzen en getuigenissen...' begon de vrouw, maar Hec onderbrak haar brutaal.

'Waarom mag ik niet weten welke bewijzen er zijn?'

'Je gelooft rotsvast in zijn onschuld.'

'Ja.'

Ze zuchtte.

'In zijn computer hebben ze lijsten gevonden', antwoordde ze uiteindelijk. 'Lijsten van clubs waar kinderen lid van zijn. Ook hopen e-mails en foto's van kinderen. Nu moeten onze deskundigen uitmaken of het allemaal wel zo onschuldig is.'

'Van kinderen?' vroeg Hec verbaasd.

'Van kinderen en volwassenen...'

Ze zweeg. En toen, alsof het ook haar te veel was geworden, flapte ze het eruit.

'De mails gaan allemaal over modelbouw. Treintjes. Auto's. Boten. Huizen en straten. De zaken die we in de speelkamer gezien hebben. De onderzoeksrechter wil nu uitmaken of er nog meer in de mails staat. Iets dat bevestigt wat de getuige verteld heeft.'

'Is Simone de enige getuige?'

'Ik noem geen namen.'

Leonie keek Hec doordringend aan. Haar blik vertelde alles. Ze geloofde niet in Simone. En net als hij geloofde ze dat meneertje Fransen onschuldig was.

Hij keek weg van haar om zijn vreugdetranen te verbergen. Eindelijk had hij een medestander gevonden aan wie hij durfde vertellen wat hij de vorige nacht ontdekt had.

'De oom van Sofie is een dief', zei hij. 'Ik heb hem betrapt terwijl hij de buit in zijn tuinhok verstopte.'

Rechercheur Leonies mond viel open van verbazing.

'Je hebt wát?!' riep ze.

Hec aarzelde. Ging ze hem nu ook een bolwassing geven, zoals haar collega? Tot zijn grote opluchting wist ze zich te bedwingen.

'Vertel op', zei ze.

En Hec vertelde wat hij in de tuin achter de verwilderde vlierboom ontdekt had.

# 34.
# Dinsdagmiddag

## BIJ HEC THUIS

Toen zijn moeder naar haar werk vertrokken was, had Hec de deur met de sleutel gesloten. Rechercheur Leonie had op straat nog een halfuur de wacht gehouden om er zeker van te zijn dat hij niet meer alleen op stap ging. Hij had haar bespied vanachter het gordijn. Ze had hem door, want toen ze vertrok had ze nadrukkelijk naar hem gezwaaid.

Hec was zo uitgeput dat sombere gedachten geen kans kregen. Bijna onmiddellijk zonk hij weg in een diepe slaap.

Toen de deurbel hem wakker schelde, voelde hij zich alsof hij uren in bed had gelegen. Slaapdronken staarde hij naar de wekker. Tien voor twaalf. Waarom was het nog zo licht? Kon het zijn dat het nog maar middag was en dat zijn slaapje nauwelijks enkele minuten had geduurd?

De bel rinkelde weer. Hecs hoofd voelde alsof het vol zagemeel zat. Hij slofte de trap af. Zonder na te denken deed hij open.

'Eindelijk alleen thuis?' vroeg Marino met een gemene grijns.

Hec rook dat hij gedronken had. De bierwalm deed hem walgen. Voor hij kon reageren, duwde de dronken kerel hem opzij.

'Je mag niet binnenkomen', zei Hec.

'Van wie? Van jou? Ga jij me buitengooien?' vroeg Marino terwijl hij de nachtgrendel dichtschoof.

'Ga weg. Anders bel ik de politie.'

'Oei. Je maakt me bang.'

'Ik meen het.'

Marino daagde Hec uit.

'Je hebt de schade aan mijn auto nog niet betaald', gromde hij.

'Ik heb geen geld.'

'Je mag ook betalen in natura. Wat heb je te bieden? Een mooi cadeau van Fransen? Geef maar. Misschien kan ik het gebruiken.'

De mist in Hecs hoofd klaarde traag op. Hij besefte dat hij geen kant uit kon. Marino versperde de weg naar de trap en naar zijn kamer. Vluchten door de voordeur kon ook niet. Voor hij de grendel open kreeg, zou Marino boven op hem zitten. Aan vechten viel niet te denken. Deze kerel was veel te sterk. Om hulp roepen? Wie zou hem horen? En het zou nog een hele tijd duren voor zijn moeder thuiskwam.

'Ik heb geen cadeaus van meneertje Fransen', zei hij.

Hij deed zijn best om zich ijzig kalm voor te doen. Met een zwak, angstig slachtoffer zou zijn plaaggeest geen genade kennen. Dat had Hec geleerd van de pestkoppen op school.

'Ik geloof je niet. Viespeuken zoals hij delen altijd cadeaus uit.'

'Je weet niet waarover je praat', snauwde Hec. 'Fransen is geen viespeuk.'

'Haha.'

Marino kwam naar Hec toe. Hij besefte maar al te goed dat de jongen hem toch niet de baas kon.

Hec deed een stap achteruit. De scherpe hoek van een lage kast prikte tussen zijn schouderbladen. Hij zocht beschutting. Een barricade tussen hem en zijn aanvaller.

'Durf me niet aan te raken!' waarschuwde hij Marino.

'Haha.'

Op het tafeltje naast de bank stond een zware asbak met een gekartelde rand. Hec greep het ding vast. Hij had een wapen.

Marino lachte hem uit.

'Wil je me daarmee pijn doen?' vroeg hij.

Voor Hec besefte wat hem overkwam, sprong de jonge man over de bank heen en gooide zich boven op hem. Hec viel. Hij liet de asbak los. Marino's vuist trof zijn oor. Bijna op hetzelfde ogenblik greep hij Hecs kraag beet en trok de jongen met een ruk overeind.

'En nu gaan we de mooie cadeaus van Fransen halen', eiste Marino.

Hec wilde nog weerstand bieden, maar zijn overvaller wrong zijn arm tot bijna tegen zijn schouderblad. Het deed vreselijk pijn. Er bleef hem niets anders over dan mee te lopen naar zijn kamer. Marino smeet hem als een dweil op bed.

'Wat hebben we hier allemaal?' vroeg hij. 'Niet veel zaaks. Wat zit er in die kast?'

'Ze is op slot', zei Hec.

'Openmaken.'

'Ik heb geen sleutel. Ik ben gestraft. Daar zitten alle dingen in waarmee ik niet meer mag spelen.'

'Geef me de sleutel.'

'Mijn moeder heeft hem in haar handtas.'

Marino trok aan het handvat. De deur gaf geen millimeter mee.

'Ik zal de kast moeten openbreken, jongetje. Ik ga hier niet met lege handen weg. Prent dat maar in je hoofd, oké?'

Hec ging rechtop zitten. Zijn verwrongen arm deed pijn wanneer hij erop steunde. Marino nam een grote schaar van Hecs tafel en ramde ze in de spleet tussen de deur en de kastwand. Het hout kraakte, maar begaf niet. Marino vloekte. Met zijn handpalm sloeg hij de schaar nog dieper in de gleuf.

'Als je de kast kapotmaakt, krijg je het aan de stok met mijn vader', dreigde Hec.

'Je zult me niet verklikken. Als je één woord lost, zal ik je weten te vinden. Zoals ik je vandaag gevonden heb.'

'Huh!' deed Hec, weer min of meer meester van zichzelf.

'Ik ga je aangeven bij de politie. Bij rechercheur Leonie.'

'Wat kan de politie me maken? Je denkt toch niet dat ze jou en je praatjes geloven?'

'Je hebt overal sporen nagelaten. DNA en vingerafdrukken.'

'Haha.'

'De mannen van de technische dienst vinden je sporen op alles wat je aangeraakt hebt.'

Dat leek wel enige indruk te maken. Marino liet de schaar los.

'Ik wil dat je de schade aan mijn auto vergoedt', zeurde hij. 'Geef me iets van waarde. Een discman. Of een mp3-speler. Of je mobieltje.'

'Die zitten allemaal in de kast.'

Marino vloekte. Hij beukte met zijn vuist tegen de schaar. De deur hield stand. Hij probeerde dan maar zijn voet te gebruiken, maar de kast was te hoog.

'Hec! Doe open!' riep een schelle stem.

'Wie is dat?' fluisterde Marino.

'De buurvrouw. Ze houdt ons huis in de gaten als mama er niet is', loog Hec met veel overtuiging.

Marino greep hem weer vast. Zijn hand zat als een bankschroef om de mond van zijn slachtoffer.

'Geen kik', siste hij.

'Doe open! Ik weet dat je thuis bent!' schreeuwde Simone.

Marino liet Hec los. Met twee sprongen vloog hij de trap af. Voor Hec op de overloop was, rukte zijn overvaller de voordeur al open.

'Marino!' gilde Simone.

Hij rende de straat op.

'Ik wist het! Ik wist het!' schreeuwde de buurvrouw naar Hec die lijkbleek beneden kwam. 'Ik heb hem rond je huis zien sluipen! Ik wist het!'

'Hij kwam mijn spullen stelen', zei Hec.

'Ik wist het!' herhaalde Simone. 'Hij is een even grote smeerlap als die deugniet van de overkant!'

Hec staarde haar sprakeloos aan. Bedoelde ze dat hij en Marino... Dat hij met hem had gedaan waar zij meneertje Fransen van verdacht?

'Zottin!' schreeuwde hij haar toe. 'Hij heeft mijn arm omgewrongen en hij heeft geprobeerd mijn kast open te breken!'

Ze leek het niet eens te horen.

'Wat een zwijnenbende! Ik bel de politie om jullie allebei aan te geven! Nu! Meteen! Ik...'

# 35.

# Dinsdagavond

## OP HET POLITIEKANTOOR

Rechercheur Erik ging als een bezetene tekeer tegen Simone van nummer 18. Buiten, in de gang, konden Hec en zijn moeder elk woord horen. Eén ding was duidelijk. De politieman twijfelde sterk aan de getuigenissen van Simone. Hec schoof ongemakkelijk heen en weer op zijn stoel. Zijn moeder grinnikte stout bij elk scheldwoord van de flik. Hec wist niet wat hij van haar reactie moest denken.

Toen ze met de wijkagent op het bureau waren aangekomen, hadden ze in het voorbijgaan ook Marino gezien. Hij zat met zijn hoofd voorovergebogen tegenover twee agenten in uniform.

'Ik hoop dat ze hem opsluiten', had Hecs moeder gemompeld. 'En voor mijn part mogen ze daarna de sleutel weggooien.'

'Ach, mevrouw, als we alle losbollen van de wereld in de gevangenis zouden stoppen...' had de wijkagent geantwoord.

De deur van het kantoor vloog open. Simone wankelde lijkbleek naar buiten.

'Jullie twee!' blafte Erik. 'Kom binnen!'

Hecs moeder nam plaats op de enige stoel voor zijn bureau. Hec moest blijven rechtstaan. De rechercheur wreef vermoeid over zijn ogen. Zijn wangen gloeiden, zijn kaakspieren stonden gespannen Hij schoof Hec een papier toe.

'Dit is de verklaring die je bij de lokale politie afgelegd hebt', zei hij. 'Jij en je moeder moeten ze ondertekenen. Lees na of alles juist is. Er staat in dat je vanmiddag in je huis overvallen bent door die lummel. Hoe heet hij ook weer? Eh... Marino Dinges... Het staat er allemaal in. Vooruit. Lees.'

Hec en zijn moeder lazen het proces-verbaal en tekenden. Erik graaide het papier weg, alsof hij bang was dat ze het zouden meenemen.

'Dat is dat', gromde hij. 'En nu de andere zaak. De dief die je zogenaamd betrapt hebt terwijl hij zijn buit verstopte.'

'Ja?' fluisterde Hec.

Eriks lip krulde van misprijzen.

'De man is een pelswerker!' schreeuwde hij. 'Een dood-gewone, normale, eerlijke pelswerker! En wat jij zijn "buit" noemde, was gewoon een voorraadje dat hij eerlijk gekocht had. Met een factuur!'

'Dat wist ik niet...' fluisterde Hec bedeesd.

'Zo, dat wist je niet? Wel, ventje, leg me dan eens uit waarom je die man van diefstal beschuldigt?'

'Omdat... Ik dacht... Ik vond...'

Erik beukte met zijn vuist op de tafel.

'Omdat je een kletsmajoor bent!' schreeuwde hij. 'Omdat je een bemoeial bent! Omdat... Omdat...' Hij gooide zijn armen in de lucht. 'Waarom maak ik nog woorden aan je vuil? Je bent een lastpost en een fantast. Scheer je weg. Ik wil je niet meer zien. Vort!'

Hecs moeder stak een vinger op alsof ze nog iets wilde zeggen, maar de rechercheur snoerde haar brutaal de mond.

'Genoeg onzin. Jullie mogen vertrekken. Nu.'

Moeder en zoon haastten zich naar buiten.

'Die vent is helemaal over zijn toeren', fluisterde Hecs moeder. 'Het is een schande hoe hij ons behandelt!'

'Ja, maar...' deed Hec.

'Pruttel niet tegen. We gaan naar huis. Ik ben doodop.'

Op de trap buiten het politiekantoor klampte Simone haar aan.

'Mag ik met jullie meerijden?' smeekte ze. 'Mijn man kan me niet komen ophalen.'

'Heb je dan geen greintje schaamte in je lijf?' beet Hecs moeder haar toe. 'Eerst maak je mijn zoon zwart en nu bedel je om hulp?'

De buurvrouw begon te huilen. Hec draaide zijn hoofd weg. Hij schaamde zich in haar plaats.

'Het spijt me zo', snotterde Simone. 'Echt waar, het spijt me verschrikkelijk. Ik had er geen idee van dat de politie zo fel zou reageren... Vergeef het me. Echt waar. Ik wilde alleen maar goed doen. Ik begrijp er niets meer van...'

Ze deed zo meelijwekkend dat Hecs moeder toegaf.

'Het is al goed, kom maar mee', bromde ze.

Simone greep met beide handen haar arm vast.

'Dank je... Dank je...'

'Ik wil niet dat ze met ons meekomt', zei Hec.

De vrouwen keken hem verrast aan.

'Ik wil niet met haar in één auto zitten', drong hij kordaat aan.

'Wat heb jij ineens?' vroeg zijn moeder.

'Als zij meerijdt, loop ik naar huis.'

'Hec!' riep Simone.

'Het is haar schuld dat meneertje Fransen onschuldig in de cel zit', beet de jongen zijn moeder toe. 'Zij met haar vuile bek!'

Simones gezicht leek een verwrongen masker. Ze kneep haar lippen zo hard samen dat haar mond nog maar een dun lijntje was.

'Genoeg!' beval Hecs moeder.

'Ze is een heks!' riep hij.

'Genoeg! Zo spreek je niet over mensen!'

Hec holde de trap af. Hij ramde zijn handen in zijn

broekzakken en stapte weg zo snel hij kon. Zijn moeder rende achter hem aan. Hij hoorde haar voetstappen, maar keek niet om. Ze greep zijn schouder vast.

'Hec! Stop!'

Hij rukte zich los.

'Doe niet belachelijk!' keef zijn moeder. 'We weten dat Simone een roddeltante is. Maar jij bent geen haartje beter, dat heb ik zopas mogen ontdekken! Jij hebt de oom van Sofie ook ten onrechte beschuldigd van een misdaad!'

'Dat... Dat is iets anders!' antwoordde Hec.

'Roddelen is roddelen. Prent dat maar in je hoofd.'

'Het is haar schuld dat Fransen in de bak zit!' vloog hij uit. 'Zij is de enige die tegen hem getuigd heeft. Ze heeft gelogen! En ik niet. Ik heb me alleen maar vergist.'

'Je kletst uit je nek.'

Een paar agenten kwamen kijken wat de herrie voor hun kantoor betekende, maar ze kwamen niet tussenbeide.

Rechercheur Erik trad wel op. 'Genoeg. Als je voor viswijf wilt spelen, ga dan ergens heen waar je niemand stoort.'

Hecs moeder verstarde. Ze leek plots twintig centimeter te groeien. Ze snauwde de rechercheur toe.

'Door de schuld van deze vrouw zit een onschuldige in de gevangenis! Doe dáár iets aan, in plaats van me uit te schelden.'

Met een ruk draaide ze zich om. Ze knipte met haar vingers.

'Hec! In de auto!' beval ze. 'En Simone ook, tenzij je liever te voet gaat.'

Hec haalde opgelucht adem. Hij had de schermutseling om Simone wel verloren, maar zijn moeder had wel bewezen dat ze weer in hem geloofde.

'Ik beloof voortaan beter op mijn woorden te passen', beloofde hij.

'Dat is je geraden', knorde zijn moeder, niet echt onder de indruk van zijn belofte.

# 36.
# Woensdagmorgen
### OP WEG NAAR SCHOOL

Lang voor het gewone uur was Hec al wakker. Hij was niet
de enige. Uit de keuken stegen de geuren van zijn lieve-
lingsontbijt de trap op. Zijn moeder had pannenkoeken met
appelstroop en knapperig gebraden spek klaargemaakt.

'Ik had een voorgevoel dat je vroeg uit de veren zou zijn',
zei zijn moeder.

De vorige avond had ze met zijn vader gepraat over wat
Hec uitgehaald had. Ze had ook over haar aanvaring met
Simone verteld. Daarna moest Hec aan de telefoon komen.

'Je hebt dus weer de dwaze held uitgehangen?'

'Ja, papa.'

'Het was dom om die man te beschuldigen. Het was
dom om hem te volgen. En het was oerdom om bij Fransen
binnen te sluipen.'

Het klonk minder als een berisping dan als goede raad
van een vriend.

'Ik weet het, papa.'

'Doe het dan niet meer. Hou je de komende dagen ver
van alle trubbels. Je zult wel merken dat alles zonder jouw
hulp ook wel in orde komt.'

'Ja.'

'Simone haar spelletje is uit. De politie gelooft haar niet
meer. Net zoals ze jou nu niet meer geloven.'

Hec negeerde die laatste opmerking.

'Komt meneertje Fransen nu vrij?'

'Als simpele venten zoals jij en ik begrijpen dat die man niets uitgevreten heeft, dan moet de politie het toch ook doorhebben?'

Hec voelde zich groeien.

'Natuurlijk, papa.'

'Wat weet je over het meisje? En hoe zit het met het ding dat je in het kanaal hebt zien drijven?'

'Leonie zei dat ze Sofie vlug zou vinden. Niemand heeft nog over de zak gesproken.'

'Mm', deed zijn vader.

Hec verstarde.

'Je denkt dat ik het verzonnen heb', verweet hij hem.

'Neen, maar ik vrees dat veel mensen het moeilijk hebben om jouw verhalen te geloven. Vooral na je laatste stoot.'

'Het spijt me.'

'Mij ook. Maar beloof me dat je er niet over piekert. Denk liever aan de dingen die je direct aangaan. Doe je best op school. Leg de ruzie met de directeur bij.'

'De mevrouw van Leerlingenbegeleiding was heel vriendelijk', zei Hec. 'Ik heb het gevoel dat het in orde komt.'

'Dat is toch prima nieuws.'

'Ja.'

'Je bent een grote vent. Zorg dat ik trots op je kan zijn.'

Hec zette vork en mes in de pannenkoek. Natuurlijk wilde hij dat zijn vader trots op hem was. Natuurlijk zou hij zijn leven beteren. Vandaag al. Met dat voornemen haalde hij zijn fiets van stal.

De gele Opel stond met de voorwielen op het voetpad. Hecs hart miste een slag. Het raampje van de auto was open. Marino staarde hem aan.

Wat zou Hec doen? De held uithangen en doorrijden of de goede raad van zijn vader volgen en over het paadje fietsen om alle last te vermijden?

Hec koos voor het paadje.

Wat als Marino hem op het centrumplein opwachtte?

Hij vertraagde. Vanuit de smalle uitgang kon hij nauwelijks iets van het plein zien. De pestkop kon hem daar opwachten en vanuit het niets toeslaan.

Zou Marino het durven na wat gisteren gebeurd was? De flikken hadden hem urenlang ondervraagd. Nu hing hem een rechtszaak wegens huisvredebreuk en bedreigingen boven het hoofd. Zelfs van slagen en verwondingen was er sprake. Voor gewone mensen redenen om zich koest te houden, maar voor Marino?

Hec waagde zich op het plein. Geen gele auto te bespeuren. Hij stampte op de trappers en raasde als gek naar de kanaalbrug. Verder over het jaagpad, bij de volgende brug naar boven en zo naar school. Het was een hele omweg, maar de moeite waard om Marino te ontwijken.

Hij had nog maar een honderdtal meter voor de boeg, toen de Opel opdook. Hec zwierde zich tussen geparkeerde wagens door en fietste over de stoep.

De Opel versnelde. Marino wilde Hec blijkbaar op het volgende kruispunt de pas afsnijden. Hec was hem te slim af. Hij remde fors en zwenkte achter de auto door. Wipte op het trottoir aan de overkant. Nog even en hij zou veilig op school zijn.

Marino gooide het stuur om. Met piepende remmen stopte hij vlak voor Hec. De jongen kon niet uitwijken. Hij remde zo hard dat hij viel.

'Niet zo snel, rattenkop!' siste Marino.

'Help!' gilde Hec.

'Je hoeft niet te brullen. Ik zal je geen pijn doen.'

'Laat me dan los.'

'Luister naar me.'

Hec schopte naar zijn belager, maar die ontweek hem handig.

'Luister!' herhaalde Marino met nog meer aandrang.

'Wat?'

'Ik wilde je gisteren helemaal geen pijn doen. Dat moet je geloven. Ik had een glaasje op, maar ik wilde je geen pijn doen.'

Hec raapte zijn fiets op. Tientallen mensen keken toe. Een hele geruststelling.

'Je moet me helpen', jammerde Marino. 'Alleen jij kunt voorkomen dat ik in de gevangenis beland. Je moet je klacht intrekken.'

'Neen.'

'Hec. Toe, je moet me helpen. Ik weet niet wat er in me gevaren is. Ik wilde je echt geen pijn doen.'

Coördinator Jan Derksen stapte op Hec en Marino toe. De jongen had de leraar nog nooit in zijn leven zo graag zien komen.

'Help me', smeekte Marino.

Hec besefte dat hij echt wanhopig was.

Ineens had hij een plan.

'Je hebt het huis van meneertje Fransen besmeurd', zei hij. 'Jij en je vrienden hebben de vensters stukgegooid.'

Marino schudde fel met zijn hoofd, maar gaf het toch toe.

'Ik heb iets op zijn deur geschreven. En ik heb één steen door één venster gegooid. Meer niet.'

Derksen was nog maar een paar meter van hen verwijderd.

'Als jij de schade bij Fransen herstelt, zal ik mijn moeder vragen geen klacht in te dienen', stelde Hec voor.

Marino zag nu de leraar pas aankomen.

'Akkoord', zei hij snel.

'Probleem?' vroeg Derksen.

'Ik moest... Ik wilde... Ik heb Hec om een dienst gevraagd', stamelde Marino.

'Ik heb wel gezien wat je gedaan hebt', gromde Derksen. 'Ik heb je nummerplaat genoteerd en ik heb getuigen. Ik kan je zo aangeven bij de politie. Roekeloos rijgedrag. Andere weggebruikers in gevaar gebracht. Dat wordt een gepeperde rekening!'

'Marino wilde me eerlijk waar iets vragen', kwam Hec tussenbeide. 'Het gaat om een klus die hij wil opknappen bij een buurman. Gebroken ruiten herstellen en verf van de muur wissen. Is het niet, Marino?'

'Ja. Dat was het', antwoordde de jongeman.

Derksen was nog altijd even wantrouwig.

'Ik geloof jullie niet', bromde hij. 'Maar als jullie volhouden dat er niet meer aan de hand is... Als je hier nog één keer rodeo speelt, dan staan de flikken een kwartier later voor je deur. Ik hoop dat je dat goed in je oren knoopt?'

'Ja, meneer', antwoordde Marino.

'En jij?' vroeg Derksen aan Hec.

'Ik zal voorzichtig zijn, meneer.'

# 37.
# Woensdagmiddag
## OP HET JAAGPAD

Omdat Hec zoveel te vertellen had, besloot hij met Vincent langs het kanaal naar huis te fietsen.

Een brandweerwagen versperde de toegang tot het jaagpad. Honderd meter stroomafwaarts van de sluis stonden nog meer voertuigen. Brandweer, politie, medische diensten. In het water dobberden drie rubberboten.

'Ze hebben de zak gevonden!' riep Hec.

'Met het lijk?' fluisterde Vincent opgewonden.

Hec wilde niet verder rijden. Hij balde zijn vuisten. Ook zonder de scherpe scherf voelde hij weer de stekende pijn in zijn handpalm. Het beeld van de hand uit het gescheurde plastic hoefde hij niet nog eens te zien.

Vincent dacht alleen aan sensatie. Hij wilde er ook over kunnen opscheppen dat hij een lijk in een zak had gezien!

Een politieman kwam naar hen toe. Het was de agent die met Hec langs de oever had gewandeld om naar de witte zak te zoeken.

Hec zag lijkbleek.

'Het is beter dat je naar huis gaat, jongen', zei de agent.

'Er waren mensen die niet geloofden dat ik de zak gezien had', fluisterde Hec.

'Die zijn er altijd. Trek het je niet aan. Je hebt je best gedaan. Dat kan niet iedereen zeggen.'

'Mogen we gaan kijken?' vroeg Vincent.

'Ik ga niet', zei Hec.

'Beter zo', gaf de agent hem gelijk. 'Een lichaam dat zo lang in het water gelegen heeft... Je krijgt er nachtmerries van.'

'Is het Sofie?' vroeg Hec.

De agent wees naar een groepje bij een tent op het jaagpad.

'De specialisten zijn nog aan het werk', zei hij.

Hec herkende rechercheur Leonie. Ze repte zich naar hem toe.

'Slecht nieuws, Hec.'

'Je hebt me beloofd dat ze niet dood was!' riep hij.

Zijn stem trilde. Tranen rolde over zijn wangen.

'Ik heb me vergist. We hebben ons allemaal vergist. We hoopten dat ze naar haar vader was gegaan. We vermoedden dat hij haar verstopt had, omdat hij haar niet aan haar moeder wilde afstaan. We dachten haar bij hem terug te vinden. Helaas...' Ze snoot haar neus. 'Ga naar huis, jongens. Jullie kunnen hier niets meer doen', zei ze.

Hec vermande zich.

'Wie heeft haar vermoord?' vroeg hij.

'Dat weten we niet. Nog niet.'

'Maar...'

Ze wist wat Hec ging vragen.

'Neen, we verdenken Fransen niet', antwoordde ze. 'Hij wordt vandaag vrijgelaten. Onze experts hebben in zijn computer vastgesteld dat hij de dag van haar verdwijning programma's heeft geschreven. Van rond de tijd dat jij Sofie hebt ontmoet tot een gat in de nacht. Daarom zei hij tegen jou dat hij geen tijd had. Dat is zijn alibi.'

Hec voelde ondanks alles een grote opluchting.

'Ga nu. Je moeder zal ongerust zijn als je niet op tijd thuis bent. Ze komt op woensdagmiddag toch speciaal naar huis om samen met je te eten, is het niet?'

# 38.
# Woensdagmiddag
### BIJ MENEERTJE FRANSEN

Een glazenmaker herstelde de gebroken ruiten in het huis van Fransen. Marino schuurde zo goed als het kon de gevel en de voordeur schoon. Hij was zo intens bezig dat hij Hec niet eens opmerkte.

'Wat is er gebeurd?' vroeg Hecs moeder toen ze het bleke gezicht van haar zoon zag.

'Sofie is dood', antwoordde hij.

Ze kregen geen van beiden een hap door hun keel.

# 39.
# Woensdagavond
### BIJ HEC THUIS

Meneertje Fransen stapte uit een taxi. Hij zag er grauw en moe uit. Hij had geen oog voor de sporen van graffiti die Marino niet helemaal had kunnen uitwissen. Met zijn hoofd tussen zijn schouders vluchtte hij het huis in.

'Hij is thuis!' riep Hec naar zijn moeder.

Ze liet de afwas op het aanrecht staan en droogde haar handen.

'Kom mee. We gaan hem goeiedag zeggen.'

Meneertje Fransen ontving hen wantrouwig.

'Pardon... Ik heb nu geen tijd. Ik...' stamelde hij.

'Dat snap ik', antwoordde Hecs moeder. 'Maar een kopje koffie zal je goeddoen. Koffie met een koekje? Mij helpt dat altijd om een slag te boven te komen.'

'Mijn huis ligt helemaal overhoop. Ik wil eerst...'

'Alstublieft', smeekte Hec.

'Waarom...?'

'Mijn zoon heeft altijd in je onschuld geloofd', zei Hecs moeder. 'Hij heeft je altijd door dik en dun verdedigd.'

Fransen glimlachte vermoeid.

'Goed dan. Een kopje koffie. Maar niet te lang, want ik moet echt nog heel veel puin ruimen.'

Ze staken de straat over. Hec met opgeheven hoofd. Meneertje Fransen schuw en schichtig alsof hij zich schaamde, ook al had hij niets verkeerds gedaan. Hecs moeder staarde uitdagend naar het keukenraam van nummer 18. Simone liet zich niet zien, maar ze was er zeker, verborgen in de schaduw zoals altijd.

De koffie serveerde Hecs moeder in haar beste kopjes, ook voor Hec. Met ernaast een schaal waarop ze de duurste pralines en de lekkerste koekjes had uitgestald. Hec had er geen idee van waar ze die schatten voor hem verborgen had gehouden.

Meneertje Fransen kon zijn oren niet geloven toen Hec over de inbrekers sprak, maar hij kon toch een beetje lachen toen de jongen hem vertelde hoe hij Marino had gedwongen de schade te herstellen.

'Je bent een held', vond hij. 'Stapelgek, doldriest en overmoedig, maar een held.'

Hec bloosde.

'Ik sta bij je in het krijt', besloot meneertje Fransen.

Nauwelijks hoorbare tikjes op de achterdeur onderbraken het gesprek. Hecs moeder liet Simone binnen. De buurvrouw bleef in de keuken wachten, bang om door te lopen naar Fransen en Hec in de woonkamer. Hecs moeder gaf haar een duwtje.

Hec kreeg ondanks alles medelijden met het zielige mens. Het werd nog erger toen ze haar handen voor haar gezicht sloeg en hartverscheurend begon te snikken. Meneertje Fransen bewoog ongemakkelijk op zijn stoel.

'Het spijt me zo', snotterde Simone. 'Het spijt me zo vreselijk. Ik wilde... Ik wist niet...'

'Was jij de zogenaamde getuige?' vroeg Fransen.

Zijn stem klonk hard als staal.

Simone knikte en snikte.

'Je bent een slecht mens', zei de man.

Simone snikte nog harder.

'Ik heb je nooit iets misdaan', zei meneertje Fransen. 'Ik heb je nooit een strobreed in de weg gelegd. Hoe kon je zulke vreselijke dingen over me vertellen?'

Simone snoot luid haar neus.

'Ik begrijp het zelf niet', snotterde ze. 'Ik dacht... Het spijt me zo.'

'Je moet het goedmaken', eiste Hecs moeder.

'Hoe?'

'Niet meer roddelen zou al een mooi begin zijn.'

# 40.
# Zaterdagochtend
### BIJ HEC THUIS

De kleine Sofie stond reuzegroot afgebeeld op de voorpagina van de krant. Hec las mee over de schouder van zijn vader. De eerste zinnen van het bericht troffen hem als de dode vinger die zijn hart had doorboord.

'De vader van Sofie, het negenjarige meisje dat tien dagen geleden verdween, is gisteren langdurig ondervraagd. De politie vermoedt dat hij zijn dochter heeft omgebracht omdat hij zich wilde wreken op haar moeder, met wie hij in onmin leefde. Hij stopte het lijkje in een witte plastic zak en dumpte het in het kanaal. De zak kwam gisteren boven water, een week nadat een buurjongen hem toevallig had opgemerkt. Vandaag zal de onderzoeksrechter beslissen of hij over voldoende feiten beschikt om de vader aan te houden.'

'Moet je dit wel lezen?' vroeg Hecs vader. 'Is het nodig dat je je hoofd nog meer op hol brengt?'

'Ik ben Simone niet', antwoordde Hec spontaan.

'Brutaal ventje', mopperde zijn vader. 'Gelukkig ben je verstandiger dan zij.'

'En jij bent een betere vader dan híj', zei Hec met een hoofdknik naar de krant.

'Schaam je je niet?' vroeg zijn moeder. 'Jouw papa vergelijken met zo een onmens!'

# 41.
## Zaterdagmiddag
### IN DE TULPENSTRAAT

De kleine, blauwe auto van rechercheur Leonie was zo onopvallend dat niemand in de Tulpenstraat zag dat ze halt hield bij nummer zeven.

Pas toen een klein uur later een combi met flitsende zwaailichten de straat inreed, staken de buren hun neus aan de deur. Ook Hec haastte zich de straat op. Hij kon nog net zien dat Sofies oom en zijn vrouw geboeid naar de combi werden geleid. Leonie wachtte op de stoep terwijl de auto met de gevangenen wegreed.

Voor de nieuwsgierige buren was dat het sein om dichterbij te komen. Leonie gebaarde naar de wijkagent dat hij hen op een afstand moest houden. Iedereen, behalve Hec. Ze gebaarde dat hij haar moest volgen.

Ze merkte dat zijn vader bezwaar wilde maken.

'Het is maar voor even. Een kleinigheid.'

Ze hield de deur voor Hec open.

'Niets aanraken', waarschuwde ze.

In het huis hing dezelfde lucht als er die avond uit de plunjezak was opgestegen. Dierenhuiden. Dode beesten. Overal lag er rommel. Leonie liep voor Hec uit. Recht naar het gammele tuinhok. Daar trok ze dunne, plastieken handschoenen aan.

Hecs hart klopte wild. Wat was ze van plan? Wat verwachtte ze van hem?

'Is dat de zak die jij gezien hebt?' vroeg ze.

'Ja, maar toen ik hem zag, lag hij bij de deur.'

'De agenten hebben hem verplaatst', zei ze. 'Je weet wel, toen ze op jouw aandringen op zoek gingen naar die zogenaamde dievenbuit?'

'Het spijt me', fluisterde Hec.

'Niet nodig', zei Leonie. 'Herken je de zak?'

'Ja.'

'Goed.'

Ze lichtte de flap op en stroopte de zijkanten van de zak naar beneden. Stijf, wit plastic kwam tevoorschijn.

'Herinner je je nog wat je me verteld hebt? Dat er iets tussen je vingers kraakte toen je het pelsje eruit haalde?' vroeg ze.

'Ja.'

'Wat je toen voelde, was stijf plastic.'

Hec staarde haar met open mond aan. Zijn verbeelding draaide op volle toeren.

'Maar... Maar... Dan...' stamelde hij.

Leonie knoopte de zak weer dicht en kwam naar buiten.

'Je hebt het geraden', zei ze met een triomfantelijke glimlach. 'Dit is net dezelfde plastic zak als die waarin het lichaampje van dat arme meisje was verpakt. Haar oom heeft bekend. Hij heeft Sofie vermoord.'

Hecs schouders schokten. Er sprongen tranen in zijn ogen.

'Zonder jou had ik het bewijsstuk nooit gevonden', zei Leonie. 'Toen jij dat detail noemde, vermoedde ik dat de pelsjes extra verpakt waren in een plastieken zak. Groot en sterk genoeg om het lichaam van een negenjarige in op te bergen. Maar tegelijk zo stijf en zo bros dat een baksteenscherf er moeiteloos doorheen kon snijden. Plastic dat kraakt als je het aanraakt. Mijn vermoeden klopte. Ik hoefde nog maar naar de zak te wijzen om de oom door de knieën te laten gaan. Hij bekende dat hij Sofie vermoord en in het kanaal gegooid heeft.'

'Maar hij was die dag toch niet thuis?' vroeg Hec.

'Zijn vrouw heeft hem een vals alibi bezorgd.'

Het triomfantelijke lachje was verdwenen. Haar gezicht stond gespannen. Hec rilde. Zo hard had hij haar nog nooit gezien.

'Jij hebt me geholpen om een vreselijke misdaad op te lossen', zei ze.

Hec kon geen woord over zijn lippen krijgen. Leonie trok de handschoenen uit en legde haar handen moederlijk op zijn schouders.

'Ik beken dat ik je soms voor een fantast en een dromer heb gehouden', zei ze. 'Soms, maar niet altijd. Wat een geluk dat ik geduldig naar je geluisterd heb.'

# 42.
# Zondagochtend
## HET TERRAS BIJ DE VIJVERS

Twee kaaskroketten.

Frieten met balletjes in een romige tomatensaus.

Een coupe met twee bollen chocolade- en twee bollen vanilleijs overgoten met warme chocoladesaus.

Citroenlimonade met prik.

Hec kreunde vergenoegd terwijl hij de eenden broodrestjes voederde. Zijn vader en moeder genoten nog van het dessert. Tientallen gasten verorberden hun zondagsmaal onder kleurige parasols op het grote terras bij de vijver.

De zondagskrant had Hec tot held uitgeroepen. De wakkere jongen die de zak met het lijk van het vermoorde meisje had gevonden, had ook het spoor naar haar moordenaar ontdekt!

'Je mag blij zijn dat je naam niet in de krant staat', zei zijn vader terwijl hij de ijslepel aflikte. 'Dan had je geen seconde rust meer!'

Blij zijn? Hec schudde triest met zijn hoofd. Hij zag geen reden om blij te zijn.

Een oom had zijn nichtje vermoord. Haar tante was er getuige van geweest, maar ze had hem laten begaan. Ze had gelogen om hem ter wille te zijn. Zelfs toen ze wist dat een onschuldige van de moord verdacht werd, had ze gezwegen.

Dat was geen reden om blij te zijn.

Rechercheur Leonie had hem niet willen vertellen hoe de moord gepleegd was. Volgens de krant was Sofie bij haar oom aangekomen nadat ze van het speelplein was weggelopen. Hij had voorgesteld haar naar haar vader te brengen. Ze had geweigerd mee te gaan. Hij had haar hardhandig willen dwingen.

Toen ze zich verzette, waren bij hem alle stoppen doorgebrand. Hij had haar geschopt en geslagen en daarna had hij haar ruw in een hoek geslingerd. Ze was met haar hoofd tegen de rand van een kast gebotst.

Toen haar oom vaststelde dat ze na die fatale klap niet meer ademde, had hij haar lichaam in een plastic zak verpakt. 's Nachts had hij het lichaampje in het kanaal gedumpt.

'Ik ben niet blij', zei Hec.

Zijn vader begreep meteen wat hij bedoelde.

'Het spijt me', ze hij. 'Ik had dat woord niet mogen gebruiken.'

'Bedankt, papa.'

Hec gloeide van trots omdat zijn vader zich verontschuldigd had. Alsof hij het tegen een volwassene had.

Ik ben geen kind meer, dacht hij.